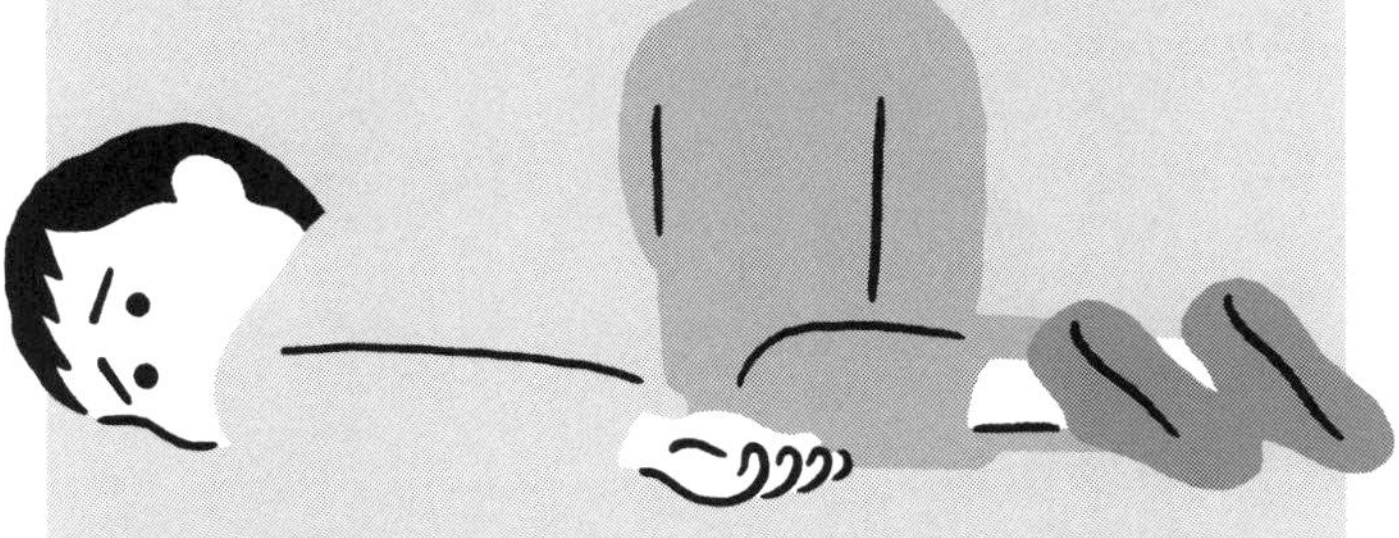

急に「変われ」と言われても

「この先どうすれば?」が解決する、先駆者たちの言葉

熊野英一
杉山錠士
編著

発売／小学館　発行／小学館クリエイティブ

目次

第二夜
働き方をどうする？

第三夜

パートナーとどうする？

［話し手］林田香織さん

第四夜
自分はどうする？
［話し手］藤田一照さん

第五夜
子どもたちはどうする？
［話し手］副島賢和さん

第六夜

ワークとライフをどうする？…

［話し手］三谷宏治さん

〝急に
「変われ」と
言われても……〟

その後に、どんな言葉が浮かびますか？

困ります、知らねぇよ、嫌です、どうすればいいんですか？——いろいろな答えがあると思います。でもほとんどの人は、その言葉を飲み込んでしまうことでしょう。

人は生きていくなかで、変わることを求められるときがあります。仕事、家庭、学校、プライベートなど、シチュエーションもさまざまでしょうし、上司、パートナー、友人など、求めてくる相手もさまざまでしょう。

そのとき、どういう対応をするか。それがのちの自分の人生に影響を与えることは、だれかに言われなくてもわかっていますよね。

とはいえ、準備ができていないときは、自信をもって変わるのが難しい。でも、いつ、どのタイミングで変わることを求められるのか？　何を変えなくてはいけないのか？　それが前もってわからないから、準備すること自体難しいのです。それはきっと、だれでも同じ。簡単に変われたら、どんなに楽なことでしょう——。

日本中、いや世界中の人が、想像もしていなかった変化にさらされた2020年。今まで当たり前だったこと——通勤、仕事、出張、飲み会、学校、保育園、買い物、旅行、帰省——が当たり前ではなくなったとき、当然、迷ったり悩んだりした人がほとんどだったと思います。何しろ、とても急でしたし、今まで経験したこともないことだったから、無理もありません。準備する暇もなければ、方法もわかりませんでした。

そのなかで感じた不安や不満のほとんどは、漠としておぼろげで、心の中にはモヤモヤだけが募る日々。

この先、どうやって生きていけばいいのだろうか？

嵐が通り過ぎるのを、じっと待つだけでいいのか？

それとも何かをするべきなのか？

失敗しないための正解を、だれか教えてくれないだろうか？

迷いに迷って、もうこれ以上わからない、と立ち止まったとき――。


急に「変われ」と言われても……。

思わず、そんな言葉が頭をよぎったあなたのために、本書を編みました。


不測の事態の象徴である「緊急事態宣言」が明けた5月末、7夜連続で行われたオンライントークイベント「My Revolution 2020～これからの『仕事』『家族』『自分』を描く7日間～」。本書は、その内容をもとに構成しました（「視聴者」「チャット」といった単語が本文中に頻出するのは、そのためです）。

アドラー心理学をベースにしたコミュニケーションのスペシャリスト、熊野英一氏とともに企画した同イベントでは、各界で活躍する先駆者を毎晩1人ゲストに迎え、ひたすらに「この先、どうすればいいですか？」と問い続けました。

残念ながら、6人の先駆者は誰一人、正解を教えてくれませんでした。

しかし、考えるための、動き出すためのヒントは、浴びるほど与えてくれました。そしてそれは、今だけではなく、これから先いつでも、そしてだれにとっても必要な、変わることのない大切なものだと感じています。

緊急事態が終わって約半年が過ぎました。多くの人の迷いがピークだったであろう、あのときの日常を思い出してもらうために、オンラインイベントの視聴者として、6人の登場人物を創造し、彼ら彼女らのモノローグを各章の導入に据えました。

あなたもぜひ、あのときの自分を、あのときの周りにいた人たちを思い出しながら、ページを読み進めてほしいと思います。

そして読み終えたときに、もういちど考えてみてください。

〝急に「変われ」と言われても……〟

その後に、どんな言葉が浮かぶかを。

2020年11月

杉山錠士

第一夜
幸せをどうする？

話し手

前野隆司さん
幸福学のスペシャリスト

〈5月25日〉

――ある視聴者の独白

気がつけばオフィスが真っ暗になっていた。だれもいないフロアには、ルーターの小さなLEDライトが所々でぼんやりと光っている。

「蛍みたいだな」

つぶやいても返事はない。ここでだれかと会話したのは、どのくらい前のことだろう。以前だったら、帰宅時間を迎えて人が減るごとにブロックごとに消すよう指示していたが、今、その必要はない。緊急事態宣言が出る前にいち早くリモートワークに舵《かじ》を切ったからだ。とは言っても、もう少しオフィスで仕事をするメンバーがいると思っていたが、そうでもないらしい。今の状況を考えると無理もない。来たら来たで、こちらも身構えてしまうところもある。

独立して10年。無理な事業拡大や、雇用はしない方針だったのだが、それでも今年の春、社員は50人を超えた。手狭になってきたのでそろそろ引っ越そうか、と考えていた矢先のことだった。

そもそもアパレルメーカーはどこも堅調とは言えない状況。仕立てがよくても価格を抑えている大手の商品が広がるなかでは、独自の路線を打ち出すことが重要となる。輸入した商品で採算をとり、わずかばかりのオリジナルでチャレンジをする、そんなスタイルで徐々にではあるが、少しずつ前に進んでいたと思っていた。しかし、しばらくは輸入ができない。中国の縫製工場も止まり、オリジナルも足止めを食らっている。

幸いなことにオンラインショップは順調である。この状況を見込んでいたわけではないが、ちょっと多めかと思われていた輸入在庫があるおかげで、今はギリギリ回っている。しかし、それもいつまで続くのか？　どんな手を打ったらいいかもわからない。オフィスに来ても今ひとつ頭が回らず、時間ばかりが過ぎていく。きっと、周りに人がたくさんいた今までと違う環境がそうさせているのだろう。だれもいないオフィスというのも妙に清々《すがすが》しく、会議室の予約をとる必要もないので悪くないかもしれない、なんて思えたのは2週間くらいだっただろうか。

俺もそろそろリモートワークとやらをやってみようか——。

朝は会社に一番乗りする。そして、最後の部下を見送ってから帰る。独立したときからできる限り心がけてきたことだ。リーダーがだれよりも働くことが、いい会社をつくる、という先輩の教えを守ってきた。社員からは週に何回かリモートワークをしたいと提案されてきたが、今ひとつしっくりこなかった。残業や休日出勤を強制しているわけでもないし、むしろ、有給休暇の取得は推進している。たとえプライベートな理由であっても。

なのになぜ、家で仕事がしたいと言うのだろう？

それで業務は本当に回るのか？

オンライン会議で物事は本当に決まるのか？

すべてとは言わずとも、それが取り越し苦労だったことが証明されている。基本的にだれも出勤していない今でも、おかげさまで業務は滞りなく回っている。去年に比べたら売上は落ちているが、それは社員がオフィスに来ていないからではないことくらいわかる。

なんだか家に帰ることまで面倒になってきた。電車は空いているが、人と接触することには変わりない。娘ももう大学生だし、今さら俺の帰りを待っているということはない。いや待てよ、娘の就職活動はこのままで大丈夫なんだろうか？　まあ、今回の場合、条件が厳しいのは娘だけではないし、自分でなんとかするだろう。自分で決める力はつけさせてきたつもりだ。それなりに幸せに過ごしてくれればそれでいい。

第一夜／幸せをどうする？

［ある視聴者の独白］

幸せ？　娘にとって幸せなことってなんだろう？　その前に自分は幸せなのか？　妻はどうか？　直接不満を言われた覚えはないので、それなりに幸せなんだろう、たぶん。でももっとできたことはあった、ような気もする。こんな状況でもオフィスに毎日行く俺を、家族はどう見ているのだろうか？　ひょっとしてもっと家にいてもらいたいのか？　家にいる時間か……ん？　アイツがリモートワークしたいと言っているのは、そういうことなのか？　そういえば、今朝アイツからなんかメールが来てたな。件名には【重要】とあったけど、アイツからの【重要】が重要だった試しはない。

パソコンの前に座り直してメールを開く。オンライントークイベントの案内だった。また仕事と関係ないメールを送ってきたのかと、少しあきれたところで、ある言葉が目にとまった。

「幸せをどうする？」

どうするって、どういうことだろう。どうにかできるものなのか？

普段なら完全にスルーするところだが、今からやることもないので、ちょっと覗《のぞ》いてみるか。オンライントークイベントとやらを。たまにはアイツの言ったとおりにしてみようじゃないか。

コロナで幸福度が上がった人は4割もいる!?

杉山　「第一夜のゲストは幸福学のスペシャリスト、前野隆司先生です。このコロナ時代に、先生が思うことは何でしょうか?」

私は幸せのほかにイノベーションについても研究しています。ゼロから1を生み出す、まったく想定外のものをクリエイトするということに関する研究です。その見地から言えば、今回の新型コロナ騒動は想定外の事態、明治維新や戦後のように、これまでだれも経験したことがないような事態で、イノベーションの条件に似ているんです。

そんな、従来型のやり方ではうまく物事が進まないという状況のなかで、ゼロから新しいことを始めて変わっていく人もいれば、立ちすくんでしまって変われない人もいます。そういう二極化が起きている、というのが、この新型コロナの事態で感じていることです。

私は「みんなで幸せでい続ける経営研究会」の共同代表をしていて、緊急事態宣言下のゴールデンウイークあたりに、社会人約450人を対象にした緊急アンケートを行いました。「幸福度は変化しましたか」という質問に対し、約40％は「変化がない」と答えたのですが、約40％は「上がった」と答え、約20％が「下がった」と答えたのです。もちろん、もっと長期的な調査は必要ですが、この時点では「幸福度が上がった」と答えた人のほうが多いことがわかりました。

幸福度が上がった人の多くは、想定外の事態に適応しています。たとえば、私の知り合いの経営者は東京の支社を全部閉鎖したうえ、「京都の本社も閉鎖してもいいかな」とまで言っています。

こうやって一気にリモートワークに舵を切った経営者もいる一方で、いまだにハンコを押すためだけに会社に行っている経営者や会社員もいるんですよね。もちろん、医療従事者のように、性質上、職場に通わなければならない場合もたくさんありますが、ハンコを押しに会社に行くなんていうのは、不要不急の代表例ですよね。

こういう事例を見て、想定外の事態に適応した人と、適応せずに過ぎ去るのを待っている人とに分かれている、というのが私の印象です。

その結果として、コロナ事態が明けたとき、変わらなかった人は元に戻るのだと思い

ます。「ああ、よかった、よかった」と言って、満員電車に乗って、効率の悪いハンコを押すために会社に行く、という元の形に。

一方で、変わる人は、もともとリモートワークに切り替えようとしていたのが一気に加速して、会社にしても個人にしても、どんどん変わっていっています。

杉山　「先生が以前に書かれたものによると、幸福度が上がると生産性も上がり、生産性は通常の1・3倍、創造性は3倍になるとあります。今うかがったアンケート結果で40％の人が『幸福度が上がった』と答えたのであれば、今後、生産性や創造性は上がっていくという見通しなのでしょうか？」

わざわざ通勤するよりも、リモートワークをしたり、オンラインをうまく利用したりすれば、移動のコストはかかりませんから、ちゃんと想定外に適応した40％の人は、どんどん生産性と創造性の向上につなげられているのではないでしょうか。

ただ、これ以上二極化が進んではいけない、というのが私の言いたいことです。分断を望んでいるわけではありません。立ちすくんで「何もできないなぁ」と言っている人には、世の中はすごい速度で変わっていっていることに、きちんと目を向けてほしいのです。

たとえばＺｏｏｍにしても、活用している人はどんどん活用しています。私も1日8時間くらいＺｏｏｍで仕事をしていて、最初は疲れましたが、今はもう、まったく疲れなくなりました。新しいツールを使って新しい世界に適応した人は、どんどん効率化を進めていると思いますよ。

熊野　「二極化と分断はコインの裏表のような関係にあると思いますが、どうやれば分断を避けられるでしょうか？」

幸福学の立場から言うと、結局、幸せな人というのは多様なつながりがあって、やる気があって、主体的なんです。ですから、そういうつながりや、やりがいを見出せる場を、孤立している人にも広げていくという活動が必要になると思います。
たとえば、私の知人は田舎にいるお母さんとオンラインでつながって、顔を見ながら昼ごはんを食べるようにしているそうです。そのほかにも、みんなでオンライン食事会をしたりオンライン飲み会をしたり、ということを積極的にやっている人はいます。そういった場への参加を促すようにして、取り残される人をなくす工夫が必要ですよね。
ただ、やっぱり「私はパソコンやスマホが苦手だし……」という人もいますし、「オン

ライン会議は視覚と聴覚だけだから体に悪い」なんて言っている人もいます。けれど、メリット、デメリットがあるなかで、デメリットばかりに注目していては、何もできなくなってしまいます。

メリットに目を向ければ、遠く離れた場所にいる人と面と向かって話ができるというのは、オンラインの最大のメリットですし、すごく嫌な人と話すときも、物理的には離れているのでハラスメントが起こりにくい、というメリットもあります。もちろん、オンラインだけでは足りない部分もありますから、そこはリアルで会って補う必要もあるでしょう。

こうした新しいコミュニケーションの形をさまざまな人に広げていくことが、分断を避ける工夫になっていくのだと思います。

それから、Ｚｏｏｍが急速に普及したことによって、普段は忙しい人にもどんどんオンラインで会いに行けるようになったんですよね。そう考えると、ものすごいチャンスでもあると思います。

熊野　「このトークイベントも、『じゃあゲストには前野先生と、田中先生と……』なんて普段忙しい人たちの名前を挙げて、とりあえず声をかけてみようという感覚で始めましたが、本当に実現しちゃいましたからね。前野先生のおっしゃるとおり、新しいコミュニケーションの世界観が広がっているので、うまく使えば、今までできなかったことが一気にできるということを体感しています」

幸せになるためのコミュニケーションとは

杉山　「満足度と幸福度はどう違うのでしょうか？」

それについては、前出のアンケート調査でおもしろい結果が出ています。幸福度が上がった人は40％いた一方で、「仕事はやりにくくなりましたか」という設問には「やりにくくなっている」という答えが多かったのです。また、「仕事におけるコミュニケーションの量と質は変化しましたか」という設問にも「悪くなった」という回答が多かった。つまり、目の前の仕事の満足度は下がっているのに、トータルの幸せは上がっている、というパラドックスが読み取れるんですね。満足度は部分指標、幸福度は全体指標であるということの違いが如実に表れています。

結局は、往復2時間の通勤時間を、家族と一緒にいる時間に充てられる、といったことに幸せを感じている人が多いんじゃないかなと思います。

熊野「今、私たちは新型コロナによって、壮大な社会実験みたいなことを強制的に体験させられています。そういうなかで、お金を稼ぐとか、仕事で成功するということよりも、やっぱり家庭でのやすらぎとか、自分の時間といったもののほうが、幸福度に対して大きく寄与するということが、ものすごい大きなN数（サンプル数）でわかっちゃったということでしょうか？」

現状はそうでしょうね。私も毎日講演をしていたのがいきなり暇になって、これまで家族4人で食事をすることなんて年に2、3回だったのに、ここ2か月くらいは毎日一緒に食べていますから（笑）。忙しいのも好きでしたが、こういう人間的な生活というのもいいなと、個人的には思っています。

もちろん、飲食店の経営者やミュージシャンなど、仕事に支障をきたして苦労している方々もたくさんいらっしゃいますので、軽々に新型コロナの状況を肯定してはいけません。ただ統計データによると、多くの人が幸せを感じているということも確かなんですよね。

一方で、家の中にいるとストレスを抱えてしまう人もいるでしょうが、そこはどこの家庭も一緒で、きちんとコミュニケーションをとって、この想定外の事態に適応するようなルールを新しく決めていかないといけませんよね。

熊野　「今、『コロナ離婚』なんていう言葉がメディアで出ていますが、コロナのせいにするなよって思うんですよ（笑）。だって、それはたぶん、コロナ以前に家族や夫婦間のコミュニケーションを端折《はしょ》っていたことが原因だったわけですから……。僕はいちどそれで失敗をしているので、わかる部分があるんです」

杉山　「リモートワークになると、今までに培ってきたコミュニケーションスキルが通用しなくなる部分もあると思うんです。そのへんをふまえて、幸福な人間関係をつくるためのコミュニケーションのポイントとは何でしょうか？」

アメリカ・マサチューセッツ工科大学（ＭＩＴ）のウィリアム・アイザックス教授は、「対話は、傾聴して、リスペクトして、サスペンドして、そしてヴォイシングをしましょう」と言っています。要するに「違うだろ！」とか「何でやっていないんだ！」といったた

攻撃的なコミュニケーションではなくて、ちゃんと相手の話を聞いて、意見が違ってもちょっとサスペンド（保留）して、その保留した意見のなかの本当の声を出していく、という方法です。

対話の内容も、目の前の話だけではなく、本質的なことを話す——そういうことが今、求められていると思います。

最初に言ったように、想定外の事態ですから何が起こるかわからない。そういう場合は、もっと本質的、根本的な話をしなければいけません。たとえば、「われわれはなぜ生きているんだろう」とか、「私たち家族の目的は何だろう」とか。そういう大きな視点の、本質的な話をしている人たちは仲良くなっていきます。一方、それができずに文句ばかり言い合っていると、仲が悪くなっていくように思えます。

熊野　「今の話をマクロな視点で考えると、国同士、東西関係・南北関係といった分断があるときに、これからの時代は戦うのではなく、協調していく方向に進んでいくのでしょうか？」

家庭内のいさかいと国家間の対立って、規模の大小はありますが、基本的には同じ構図です。

私は、今回の新型コロナのパンデミック（世界的大流行）で、ついに人類が団結するんじゃないかと期待していたんです。じつは小さいころから宇宙人が攻めてこないかなと考えていたんですよ（笑）。宇宙人が攻めてきたら、地球人はバラバラになるのではなく、みんなで団結して力を合わせてやっつけるでしょう？　今回コロナがきたとき、「これは、宇宙人が攻めてきたのと同じ構図だな！」と思ったんです。

でも、全然協力しないですよね（笑）。だから、人類はダメだなぁ、と思っちゃいましたね。

もちろん、自国のこと、自分のことで手一杯なのはわかります。でも、昔のアメリカだったら、「こうするぞ！」と大きなリーダーシップを発揮していたと思うのですが、今はだれもリーダーシップを発揮せずに、自分の国のことばかりを優先しています。コロナ以前から、「自分や自国さえよければいい」という、協力とは逆の流れになっていましたよね。幸せの条件からいうと、ありえないことになっています。

そういった意味では、私は人類の将来に悲観的です。

熊野　「僕はアドラー心理学を研究しているのですが、アドラーは1870年生まれで生誕150年。第一次世界大戦に軍医として従軍し、敵を殺した兵士や傷病兵を治療する仕事を通して、『どうやったら人と仲良くなれるか』という命題を立て、

いわゆるアドラー心理学を創始したといいます。アドラーの教えって古いものだと思っていましたが、この想定外の事態が起きたときには必要になってくるなぁ、という思いを強くしました」

そのとおりですね。アドラーの言っている幸せの3条件「自己受容」「他者信頼」「他者貢献」と、僕の言っている「幸せの4つの因子（やってみよう因子、ありがとう因子、なんとかなる因子、ありのまま因子）」は似ています。かつての思索型の心理学を、実証主義型の現代心理学が追認している形になっているんだと思います。

みんなが利他的で社会に貢献すれば、つまり、自分のことばかり考えるよりもみんなで助け合うことができれば、感謝などのつながりが生じますから、結局は幸せになれるんですよ。

逆に、自分勝手なことばかり考えている人の幸福度は低いんです。

杉山　「前野先生のおっしゃることを実践すべきだと思いますし、今の事態に適応したほうがいいこともわかります。その一方で、具体的にどうしたらいいかわからない部分や、『そんなのできねぇよ』と思う部分もあります。そこを乗り越えていくには、どうすればいいでしょうか？」

たとえば、「ありがとう」を言われる人より、「ありがとう」をたくさん言っている人のほうが幸福度は高いということがわかっています。「ありがとう」と言うのは、簡単にできますよね。自分から言えばいいだけなんですから。

このほかにも、小学校のころに先生に言われたような、「みんな仲良く」とか、「チャレンジしよう」といったことを、ずっとやってきた人は幸福度が高いんです。幸福度を高める方法というのは、幸福学やポジティブ心理学などでいろいろなやり方が明らかになっていますから、それらのどれかをやっていくというのがいいと思います。

ただ、幸せを目ざしている人ほど幸福度が低い、という研究データもあるんですよね（笑）。「利他的にならなきゃ」とか「感謝しなきゃ」と考えた瞬間に、幸福度が低くなる……。パラドックスだらけなんです。

「サラリーマンって、すごいビジネスモデルだよね」

熊野　「僕は保育園の運営など幼児教育にも携わっているのですが、未就学のときに身

につけてほしいのは、『自分の意見を言う』『お友だちの話を聞く』という2つなんです。でもこれって、社会人教育でやっていることと、まったく同じです。結局、人間は、自分の言いたいことを、相手に配慮をしつつも遠慮はせずに言うこと、つまりアサーティブであることや、意見が異なってもケンカしたり論破したりするのではなくて、共感しつつ、『あなたはそうなんだね、でも僕はこう思うよ』と言うことができれば幸せになれるのかな、と思います」

そうですね。むしろ子どもは、保育園や小学校でちゃんとやっているのに、大人のほうが、「会社で言いたいことを言おう」とか、「ハラスメントをやめよう」とか言っています。つまりは、浸透していないということですよね（笑）。

熊野　「退化しているんでしょうか？」

残念ながら、そうかもしれません。だから、子どもに言うのと同じで、「主体的に生きましょう」とか「みんなのことを考えましょう」とか、言い続けなければいけないんです。

そもそも日本のシステムって、幼稚なまま大人になれるようにできていますよね。だれもが安全安心でいられる国をつくってしまったので、自分の頭で考えて、自分の意見を言って、自分の意思で動かなくても、サラリーマンになって言われたとおりに働いていけば、それなりに生きていけます。それも高度経済成長期のころはよかったでしょうが、想定外の事態が起きたときには、みんな右往左往するしかない。

私はいろいろな人を見てきていますが、20%くらいの人（個人や会社）は新しい働き方にシフトしていて、集団を大事にするよりも、新しいやり方で生きることを大切にしています。残りの80%くらいの人は、大企業の中でどうしようもないなぁ、動きようがないなぁ、という感じで変われないでいる、という感覚です。

そんな、多数派の変われないグループがもっと立ち上がっていくべきだ、とは思いますが、現実には制度がカチコチに硬直化しているので、難しいですよね。

熊野　「大企業にお勤めの方は優秀な人たちばかりでしょうが、それでも、大きな仕組みのなかでそれをガラッと変えていくのは、本当に難しいことですよね」

ある人が「サラリーマンって、すごいビジネスモデルだよね」と言っていたのですが、そのとおりで、サラリーマンは危機感がなくても生きていけるシステムですよね。変え

られない原因は、そこにあるのでしょう。
でも、そのシステムも崩壊し始めています。ちょっとずつ変わってきている。たとえば、私が子どものころって、起業する環境はあまりありませんでしたが、今は大学在学中に起業する人もいるし、ベンチャーで働くことを選ぶ人もいます。徐々にいいほうに解放されてきているな、と感じています。

熊野　「戦後、国全体が一致団結して、護送船団方式でやっていく時代には、『大企業サラリーマン』というシステムがすごく機能していた。でも、その副作用として、日本人は自立しない、幼稚なままになっている。つまり、世話をする人が親や学校から上司や会社にスライドして、上司や会社に言われたことをやっていれば褒められる。そういう幼児性を引きずってしまった——という感じですかねぇ」

そうですね。
でも、幼児性もかならずしも悪いものではないんですよ。たとえばネオテニー（幼形成熟）という現象があって、進歩した種のほうが幼稚な期間が長いとも言われていますから。逆説的ではありますが、「日本人がいちばん進歩している」と言えるのかもしれませんよ。

杉山　「ええっ⁉　進歩しているのかなあ（笑）」

つまりは見方ですよ。日本をコテンパンに悪く言うこともできるし、「総じてみんな幸せじゃないか」とも言えます。半周遅れで走っていると思っていたら、気がついたら日本が世界の半周先を走る先頭だった、ということもあるでしょうからね。

日本はゆっくりと変化する国

杉山　「視聴者からの質問です。これからの『よい学校』とはどのようなものとお考えですか？　また、現在の教育カリキュラムをどう見ていますか？」

学習指導要領が変わって、「主体的・対話的で深い学び」へと舵を切りました。これが「ゆとり教育」のように失敗しないか心配ではあるのですが、基本的には「主体的」ということは幸せなことですし、「対話的」というのも幸せにつながります。表面的な知識

ではない「深い学び」も、自分の生き方を深く考えることにつながります。だから、よい方向に向かっているとは言えるでしょう。

それから、私の勤める大学院は独立大学院なので、すでに「主体的・対話的で深い学び」に舵を切って人材育成を始めています。

さっきの話とも重複してくるのですが、教育においても、新しいことを取り入れ始めている学校がある一方で、80%くらいの学校は古くさいまま、という二極化が進んでいます。海外で暮らして日本に帰ってくると「ひどいものだ」と実感しますよ。日本は自己肯定感を下げる教育がすごいんですよね。

教育というものは、他人と比べてはいけないんです。「あなたのよさは、あなたのよさだね」という教育をすべきなのに、テストや塾で他人と比べて、親も心配だから、「あの子みたいに、ちゃんと勉強しなさい」なんて言うんですよね。他人と比べるというのは、「ありのまま因子」の真逆です。

アメリカの教育が手放しですばらしいとも言いません。でも、自由に育てるという面においては、日本とはまったく違う教育をしていますよね。

熊野　「今、自己肯定感という言葉が出ましたので、統計データを紹介します。日本財団が各国の17〜19歳を対象に行った意識調査で、テーマは『国や社会に対する意識』です」

この結果はすごいですよね。夢もあまりもっていないし、自分が社会を変えられると思っている人も少ない。

以前、帰国子女の大学生と話していたら、日本に来てびっくりしたと言っていました。「だれも夢をもっていない。夢をもっていないのにどうして生きていられるのか、意味がわからない」と言うんです。この調査結果は、それを如実に表していますよね。

アメリカの学校に行くと、みんな自分は大統領になれると思っていますからね（笑）。それも極端だとは思いますが、自

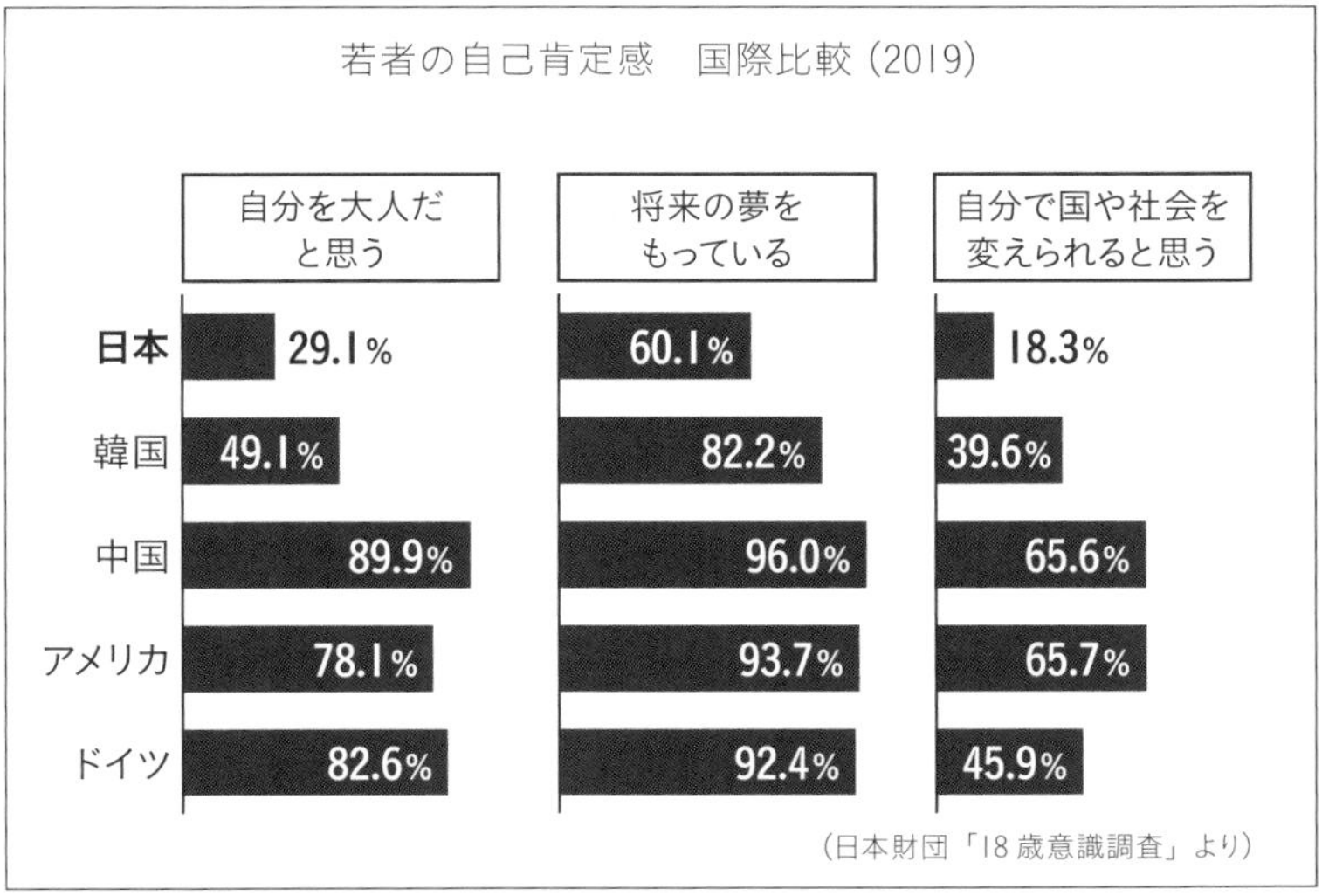

若者の自己肯定感　国際比較（2019）
（日本財団「18歳意識調査」より）

分は何もできないと思っている日本も、やっぱり極端だと言えるでしょう。

熊野　「日本の若者は他国の同世代と比べて、個体として幼稚だと感じています。人間が成長していくうえで環境や、本人の意思などが影響すると思うのですが、遺伝的に日本人が幼稚ということはあまり考えられないし……」

いや、遺伝的な原因もありますよ。

熊野　「あるんですか!?」

日本人は心配性民族だといわれますが、遺伝子的に「セロトニントランスポーターSS型」という、セロトニン（幸せホルモン）の分泌量が少なく、心配性になる因子をもっているんです。

ですから、みんなで安心安全に過ごせて、幼稚なままでいられる社会をつくる、というやり方を選択したんですよね。それが悪いというわけではなく、風土（自然災害が多いなどの風土）によってそうなっているんですよ。

逆に、みんなで安心安全に過ごせるシステムをつくってしまったことによる、後天的な原因もあるとは思います。

熊野　『どうせ俺なんて』『やっぱり私は……』みたいに、自分で自分の自己肯定感を下げるような言動を、日本の若者はしていると思うんです。それはその子たちだけの責任ではなく、親や学校の先生など、周りが与えている影響も大きいと思うのですが、先生はどうお考えですか？」

だからこそ、もっとみんなで助け合って、創造的な生き方に変えていけばいいと思うんです。

日本人は心配性で幼稚ですけど、すごくきっちりと考えて、不安のないように生きているわけです。きちんとマスクをして、手洗いをするからこそ新型コロナにもかかりにくい、という面もあると思います。

幼稚と言うと、悪いことのように聞こえますが、きちんとみんなで「お利口」にしている、とも言えますよね。さらには、新型コロナのパンデミックになって、「イノベーティブなお利口」というか、「考えるお利口」が20％くらい出てきています。そういう人たちを、もっと増やしていければいいんじゃないかと思うんですよね。

今は、「やってみよう」とか「なんとかなる」と考えるチャレンジ精神のある20％くらいの人たちが、起業したり脱サラしたりという動きをしています。今後、より多くの人たちがそっち側に移っていくためには、心配になる人をお互いに支え合う仕組み、昔でいうと「講」みたいなものが必要だと思います。

今までは、そういう支え合う仕組みが会社だったわけですが、会社に代わるセーフティネットをうまくつくらないと、理想論のままで終わってしまうと思います。

熊野　「急進的にみんなの意識が移るというよりも、心配な部分を支える安心を伴った道筋、みたいなものが、日本的な変化のあり方なんでしょうか？」

私はそう思います。日本って、ゆっくりと変化する国なんですよ。でも、だからこそ１５００年間もずっと日本という国があるわけです。なかなか決断しないでみんなで「どうしようか、どうしようか」と悩んでいるのも、国家というレベルで考えると、ある意味で非常にサステナブルだとも言えるんですよね。

たとえば、ゆっくりしすぎているので、日本はＡＩなどの技術がもたらす変化では乗り遅れていますけど、乗り遅れたことで、別の優れたものや美しいものをコツコツとつくっていったら、次の時代には日本がトップに躍り出ていた、みたいなことになるんじゃないかと、私は思っています。

ワクワクできていますか？

杉山　「都心と地方では課題感も異なってくるのではないか、という質問がありますが、そのあたりについてはどうお考えですか？」

私は地域づくりで定期的に地方を訪れているので、都心も地方もウォッチしていますが、やっぱり違いはありますよね。

ただ、都心での年収４００万円は生活が苦しいけど、「周りの農家がどんどん野菜をくれる」ような地方だと、ものすごい豊かに暮らせるんです。東京からのＩターンは怖いという方もいますけど、現場を見ていると、「年収は3分の1になったけど、幸福度は１００倍になりました」といった例はたくさんありますね。

熊野　「100倍ですか！」

そうなんです。そういう人がウヨウヨいます。だから、お金で測らないほうがいいのかな、と思います。

杉山　「『育児に疲れて笑顔がなくなってしまって、子どもに対してもきちんとかかわれません。どうしたらいいでしょうか?』という、子育て中のママからの質問です。今は20%がよい方向に向かっていて、この20%を増やしていくにはどうすればいいか、という課題があるなかで、子育てや教育も変えていかないといけないと思うんです。具体的には、小学校や中学校などの公教育はサラリーマンを育てるためのシステム、という側面があると思うのですが、そんな仕組みのなかで、フレキシブルさを育むにはどうしたらいいと思いますか?」

ひとつの答えとしては、「ワクワクすることをやる」ということだと思います。サラリーマンって、ワクワクするためではなくて、給料のために働いている、というふうになりがちですけど、やっぱり、すべての仕事はワクワクするものであるべきだと思います。

そのためには、人間関係がしっかりとしていて、自分がやっている仕事の意味、俯瞰《ふかん》的《てき》な意味をきちんと捉えないといけない。

「やらされ感」でやるのではなく、主体的に取り組む。そのうえで、自分のやっている仕事はこんなふうに社会のためになっている、と俯瞰的に考えられれば、どんな仕事だってワクワクするものになりうると思います。

子育ても一緒で、ワクワクしながらやったほうがいい。「子育ては母親の仕事です」みたいに思っていたら、つらいですからね。

ワクワクするためには、夫婦がちゃんと話し合うべきだと思います。仕事や家事、子育ての分担はいろいろあると思いますけど、その比率みたいなものはきちんと話し合って決めて、夫婦が力を合わせないといけません。

熊野　「質問者の方は、『母親である自分が子育てをしなきゃ』とか『私が極限まで疲れるまでやらないといけない』といった自己設定や罪悪感をもっている可能性があるのかな、と感じました。僕はこういうママたちと話をする機会が多いのですが、自分で自分を苦しめちゃっているというケースがよくあります。そんな場合には、自分を解き放つ、自分を許すことが必要です」

杉山　「前野先生や熊野さんの話は正論だと思うのですが、そこにたどり着くまでの一

歩……話し合うことをスタートするとか、ワクワクすることをスタートすることが難しいと思うんです。結局は、自分から一歩ずつ動いていくしかない、という主体性の問題になるのでしょうか?」

そうですね。そのスタートにもいろいろな方法があります。たとえば、いろいろなことに感謝する「感謝のワーク」というものがあって、その実践によって、グルグルといい方向に回り始めたという人もいますし、自分の強みをみんなに褒めてもらって自己肯定感を高めたという人もいます。

幸せの要因は100個以上あって、どの要因を押しても幸せになるんです。だから、どの要因が自分に合うかを自分で見つけて、自分で押していく、ということができればいいんです。

じつは簡単なことなんですけどね。だって、基本的にはワクワクすることをして、みんなと仲良くするだけですから。

杉山　「先ほどのセーフティネットに関する話で、ベーシックインカム(BI)に可能性はあるのか、という質問が寄せられています。北欧のように、税金は高いけどみんなを手厚くフォローする、高負担高福祉社会というのは、BIの考え方に近いと思いますが、前野先生から見て、ＢＩないしはＢＩのようなセーフティネットは、日本人に向いていると思いますか？」


国民の民度に関係すると思います。

北欧諸国では、税金を高めることの是非をみんなで議論して議論して、議論を重ねた結果、ああいう国家をつくり上げたわけですよね。

日本では、消費税率を上げるとなると、すぐに「反対！　反対！」となります。「みんなでたくさん税金を払って、平等に手厚い福祉を受けられるのはいいことじゃないか」という考えもあるなかで、そのどれを選択するかの議論をせずに、反対だけ唱えてしまう人も多い。そういう国民のマインドが進歩して初めて、ＢＩを導入するのかどうかの議論が始められるのだと思います。

だから、日本でのＢＩ導入には慎重な見方をしています。国民のマインドが成長していないのにお金だけ配っても……10万円の現金給付（特別定額給付金）もそうですが、単純に「お金をもらえてラッキー」みたいに終わって、財源の問題に目がいかないのは、ちぐはぐとした感じがします。

熊野　「どちらに進むべきかという問題ですよね。北欧のような成熟した大人の社会に

なるための階段を上がる努力をするのか、幼児性を引きずったまま、偉い人たちに決めてもらって、それについていきます、という緩やかな感じで進むのがいいのか。今、その岐路に立っていますよね。同時に、コロナ騒動で日本人自体も二極化が進んでいるという状況で……一体どうすればいいんでしょうか？」

でも緩やかには変化していますし、幸せの条件には「なんとかなる」と前向きに楽観的でいることがいいというのもあるので……ネガティブなことも言いましたけど、なんとかなるんじゃないでしょうか(笑)。

杉山　「世代的な面から『変わる、変わらない』という話をすると、今までは『サラリーマンってすごいんだぞ』『安定しているからいいぞ』といった感じで、それを目ざせとずっと言われてきました。僕は今43歳なのですが、40を過ぎたあたりでハシゴを外すように今までの価値観を取り払われてしまうことに抵抗があります。それに関しては……本当に、どうしたらいいんでしょうか(笑)」

確かに年齢を重ねるほど保守的になって、自分の今までのやり方でいようとする傾向が、人間にはあります。

でも、本当の危機が訪れたら、変わらざるをえませんよね。40代なんて、私から見ればめちゃくちゃ若いですから、どんどん変わればいいと思いますよ。私は今58歳ですが、もっと変わろうと思っていますし。

ただ、日本人は世界でも有数の「リスクをとらない民族」でもあります。イタリア人は8割がリスクをとるのに対し、日本人はリスクをとる人が2割くらいしかいない、というデータもあります。それくらいリスクが嫌いなのだから、そんな国民性に合わせて、セーフティネットをつくって、できるだけリスクを少なくして、そーっと、ちょっとずつ歩んでいく、というのが向いていると思います。

みんなで安心しながらちょっとずつ変わっていく、というのはできることですし、もうやっていると思いますよ。

「自己犠牲じゃない利他」でみんな幸せ

杉山　「では、第一夜のまとめの言葉をお願いします」

一度きりの人生。
自分のことばかりを考えるのではなく、
世界のみんなの幸せを考えて生きませんか。
世界中の生きとし生けるものが幸せでありますように。

輪廻《りんね》があると考える人もいるかもしれませんが、そうだしても、今の人生は一度きりです。

そして、今回の話ですよね。自分のことばかり考えるのではなくて、家族のこと、社会のこと、世界のこと、みんなのことを考えていきましょうよ、ということです。

これをやらないと、やっぱり家庭レベルから国家レベルまで、みんなが幸せになることはないんですよ。だから、仏教でよくいわれる「世界中の生きとし生けるものが幸せでありますように」という言葉が大事になってくると思います。

新型コロナがきて思ったのは、私のピュアな思いをもっと伝えていきたいということなんです。今までは「働くにもやる気があるといいよ」なんてミクロな話もしてきましたが……それも大事なんだけど、いちばん大事なのは、各人が地球人として、みんながともに生きると実感していることだということを、みんなに伝えていきたい。

そういう思いを、みんなが、まずは家族で共有して、次は職場でもやる。そういうふうに身近な場所からずーっと円を広げていく。すると、世界中の人が世界中の人を大切にするということにつながるんじゃないかと思っています。

杉山「とても参考になりましたが……現実問題として『でも、やっぱり気に食わない人はいるよね』とも思います（笑）」

そのときの対処方法は「許すこと」ですよね。

国家レベルでも個人レベルでもそうです。許さないから「目には目を」になっちゃうんですよ。「どんな人も一生懸命やっているんだから」「みんな、ともに生きる人だから」と思えるようになって、許すことができればいいんです。

熊野「みんながんばっているんだから、ケンカしてもしょうがないんですよ！」

杉山「ＳＮＳでの個人への攻撃、誹謗中傷《ひぼうちゅうしょう》がクローズアップされていますが、こういうことを解決する方法も、そもそも、こういうことをする人がいなくなるような社会をつくっていく、ということなんでしょうか？」

そうですね。ＳＮＳで誹謗中傷するような人って、かわいそうな人だと思うんです。ストレスが溜まっていて、だれかの文句を言ったり攻撃したりすることでストレスを吐き出しています。

そういう人たちが幸せになるためにも、「そんなことは言わずに、みんな幸せなほうがいいよね」と言える社会をつくっていかなければいけないと思うんですよ。

「気に食わない人」の話に戻りますが、苦手な人も、嫌いな人も「許す」というのが、究極の対処法ではないでしょうか。ブッダやキリスト、ジョン・レノンにはできていたことなので、われわれもやればできるんじゃないかなと思いますよ。

杉山　「あの人たちと同レベルを求められるのはしんどいです（笑）」

でも、みんなを愛すればいいだけの話ですよ。みんなを愛することができれば、自分の幸せじゃなくて、みんなの幸せを求めることもできるんです。

杉山　「ああ、そうか……できるかなぁ（笑）」

できます。できると思えばできる。できないと思えばできない。簡単なことですよ。「世界中の人はみんな仲間」と思うだけなんですから。

そうならないと、環境問題や貧困問題などは解決できません。「みんなが自分のことばかり考えていればうまくいくだろう」とアダム・スミスは言ったのですが、そうはなりませんでした。これは思想としてではなく、ロジックとして、みんなを大切にするという社会にならないと、人類はいい方向にいかないんですよ。統計学の結果として、みんながみんなを許す、ということをやらないと幸せにはなれない、ということなんです。

杉山　「じゃあ、在宅勤務で親子が一緒に家にいるとき、親が子どもを怒鳴っちゃう場面もあると思いますが、そこで『子どもを許す』ということをやっていくと、それが自分に返ってくるということでしょうか？」

そのとおりです。

熊野　「アドラーは、教育の目的を問われたときに、子どもに対して共同体感覚を教えることと言ったんです。この共同体感覚というのは、自己犠牲は必要なくて、自

分のことを大事にするのは当然ですが、でも『自分さえよければいい』というのもよくないよ、ということです。自分のことを大事にしながら、今、隣にいる人や隣のクラスの友だち、同じ町の人、同じ国の人、隣の国、地球全体、宇宙全体と、だれかのために何ができるかな、と考える対象の範囲をどんどん広げていく——この練習を子どものころから教えることが必要なんです」

杉山「自己満足と他者貢献って、対極にあるように見えるんですが、そうではないんですね」

自己犠牲じゃない利他ですよね。仏教では、自分の利益と他人の利益が円満になる、という意味で、「自利・利他・円満」と言うんです。みんなまーるく、ともに円満ですよ、ということです。

近代西洋流だと自分と他人を分けるところから始まって分断になりがちですが、そうじゃないんです。この円満思想を日本人は忘れかけているんですよね。本当はアドラーに指摘されなくても、仏教や神道で昔から言われてきたことなんですよ。

第二夜
働き方をどうする？

話し手

田中靖浩さん
オリジナリティあふれる
公認会計士

──ある視聴者の独白

〈5月26日〉

やっとリビングから人がいなくなった。残っている仕事を早く片づけよう。それにしても、なんで終わらないんだろう。ずっと提案してきたリモートワーク。かたくなだった社長も、緊急事態宣言を待たずして、あっさり舵を切ってくれた。本当にありがたいことだ。行きはほぼ始発、帰りは昼下がり──これまでもフレックスタイムをフル活用することで、ラッシュの時間は免れていた。それでも、ドア・トゥー・ドアで往復4時間弱。じつに1日の6分の1を使っていた通勤がなくなるのは、体力的にも精神的にも相当楽になった。それなのに仕事が終わらないのは、どういうことなのだろうか?

いや、理由は明らかである。

まず、午前中はほぼ仕事にならない。小学生の息子とは、リビングで同じテーブルに着く。前の日のうちにスケジュールを立てて進める。ほかの家のことはわからないけど、たぶん、うちは聞き分けがいいほうで、助かっているのだろう。ある程度は自分でなんとかしてくれる。小学生で本当によかった。保育園児だったら、どうにもできなかっただろう。ただ、出された宿題の量が圧倒的に少ない。1人でこなすにはこのくらいが限界なのかもしれないが、順調に進むと、2時間もあれば終わってしまう。しかも、宿題の多くが「おうちの方と協力して」というもの。きっと、先生には家での状況が想像できていないのだろう。

1人で進めてくれるのは実質1時間程度。これは厳しい。

朝ごはんと昼ごはんは、前日の夜にだいたいつくっておくので、そこまでのストレスはない。ただ、その分、夜ごはんの準備には時間がかかってしまい、夕方5時には取りかからなければならない。午後はゲームやマンガ、タブレットで映画を見ていてくれるので、比較的仕事をさせてもらえる。ただ、ザッと見積もっても、実際の作業時間はいつもの半分くらい。これでは仕事が終わるはずもない。

リモートワーク自体はけっこう前から推奨されていたが、まさか学校も習い事もなく、実家にも預けられない状況までは、だれにも想像できなかっただろう。自分もそうだったように。ただ、うちの場合は7時には妻が帰ってくる。そこからしばらくは仕事に集中できるのだ。なんとありがたいことか。これが、毎日寝るまでを1人でやるとなると、もはや想像したくない状況……いや、姉ちゃんは今、まさにそういう状況だった。

義理の兄は、妻と同様にリモートができない職業柄、通勤での感染リスクを考えて、会社の近くにある短期賃貸マンションで寝起きしているという。しかも、子どもはまだ小さい。それが2人もいる。フルタイムではないが、仕事もしているはずだ。いったいどうやって生活を回しているのだろう？　これでもし、滞りなく回せているとしたら、神の域に入ったか、悪魔と契約して何かしらの力を手に入れたか、どっちかだろう。と、たぶん日々こんなことを考えているから、仕事が終わらないんだろう。

ただ、この状況のすべてが悪いわけではない。こんなに長い時間、子どもと一緒に過ごすのは、育休以来。なんだかんだ言って楽しいし、距離が縮まっていることは間違いない。この期間中、しっかり教えた甲斐《かい》もあって、ご飯とみそ汁くらいはひとりで準備できるようにもなった。ここだけでも任せられるのは大きい。

緊急事態宣言は終わり、きっとまたいつからか、オフィスワークに戻るはずだ。

劇的に会議が減り、最低限をオンラインで済ます。クラウド上でできることがこれほど多いことを、社長をはじめ、みんなに知ってもらえたことは大きいはず。だけど、多くの人は「喉元過ぎれば熱さを忘れ」、いや、忘れたことにして、口をつぐむのだ。今回、リモートになったとき、喜んでいたメンバーはたくさんいたけど、以前、僕が会社に提案したときには、だれもサポートしてくれなかった。それが現実である。

いっそ会社を辞めて、フリーにでもなろうか。

今まで何度も思ってきたことだが、自分にその勇気はない。冷静に見たら、そのスキルもないと思う。じゃあ、指をくわえて元の通勤生活に戻るのか？　無駄だと思っているのに、集まって会議をするのか？　今回リモートワークがかなったのは、けっして自分が言ったからではない。世の中の状況が変わったからだ。たったひとりの社員の言葉で企業のスタイルを変えるのが難しいことは、身に染みてわかっている。

♪ピコピコ　ピコピコ

なんとも言いがたいモヤモヤを抱えたままパソコンに向かっていると、アラームが鳴った。数日前、姉ちゃんから薦められたオンライントークイベントの時間だ。死ぬほど忙しいはずなのに、こういうイベントを見つけてくる姉ちゃんは、やっぱりすごい。まだ仕事は終わっていないから、音声だけ聞きながらやることにした。

こういうものに参加しただけでは、何も変わらないのはわかっているが――。

仕事は自分でつくるもの

熊野　「今日のゲストは公認会計士の田中靖浩先生です。田中先生とは、じつは僕が20歳くらいのときからの付き合いです。1994年に資格の学校TACで講師をしていた田中先生が、会計士受験生の僕たちに『何かおもしろいことやろう』としかけて、それで、第1期田中ゼミができたんですよね。ところで田中先生は今、普通の公認会計士の仕事をやっているんですか？」

いわゆる会計業務はまったくやっていません。たぶん、みなさんが想像される会計士とは全然違う仕事をしています。ただ、それをなかなか理解してもらえない。会計士といえば、朝から晩まで会計業務をしていると思われてしまう。

自分にとって公認会計士というのは職業というより、運転免許のようなもの。もっている資格のひとつにすぎないんだよね。

会計士の資格をとったのは22歳のときで、今はもう56歳。今さら30年以上前の「青春の想い出」みたいな話を持ち出されても困るというか（笑）。すべての資格はとってからの歩みが重要だし、そこを見てほしい気持ちなんだけど……。今は公認会計士として、新しいタイプの専門家を目ざしている。でもやっぱり、世間的には「会計業務をやっている人」と思われてしまうんだね。

杉山　「社会に出てから、いちども組織に属したことはなかったのですか？」

ほんの少しだけ、間違って外資系のコンサルタント会社に入ってしまったことがあって（笑）、若いとき3年間、外国人上司のもとで働いていた。だけど、必要なノウハウを学んだらすぐに辞めようと思っていたかな。

もともと会計士になる以前から、独立したい、組織に属さずに働きたいと思っていたんだよね。中学生、高校生くらいのころから、自分の中に勤め人になるイメージがなかった。「自分が主人」の自営業になることしか考えていなかった。

とは思いつつ、若いときは具体的に何をすればいいのかわからなかった。たまたま会計のゼミだったから、会計士の資格がいいかなと思ってチャレンジした。会計をマスターしておけば、何のビジネスをやるにも役立つかなと思って。会計士を受験したのは、会計という内容が独立するのに役立つと思ったから。最初から会計の専門家になるつも

りはなかった。

杉山「中学生や高校生くらいの年齢で、どうしてひとりで生きていきたいと思うようになったのでしょうか？　世代的には、周りの大人はほとんどが会社員で、サラリーマン家庭が多かったんじゃないですか？」

いや、そうでもなかった。私が小学校のころには名簿があって……これが個人情報ダダ漏れで（笑）、全児童の住所と電話番号はもちろん、親の職業まで載っていた。しかも「新聞販売業」とか「青果店」とか、具体的に。そこからわかるんだけど、親の半分以上が自営業だったよ。

杉山「ええっ！　半分以上ですか⁉」

うん、半分以上が自営業だった記憶がある。私の故郷、三重県四日市市はかなり大規模な都市だったけど、サラリーマンより自営業の人たちが目立っていた。ウチの親父も自営で商売をやっていて、毎日夕方に仕事が終わると、自営業仲間が集まって、みんなでボウリングに行くんだよね。よく連れていってもらったな。

あの当時はまだ『三丁目の夕日』的な空気が街に残っていて、サラリーマンという働き方は主流でなかったような気がするよ。

今日の視聴者をはじめ、現在この国でサラリーマンないし公務員の割合は、ざっくり9割だと思う。だとすれば、自営業やフリーランスは1割。私もそのマイナーな側の人間だけど、フリーランスや自営業でそこそこ成功していて、長く続けられている人に共通の属性があることを最近発見した——それが何かと言えば、「親がフリーランスか自営業」だということ。

やっぱり親の影響って、めちゃくちゃ大きいんだよね。どんな親のもとで生まれ育ったか。それで、子どもの性格ってある程度決まっちゃうのかもしれない。

私はその典型だと思う。商売人の家に生まれて、親父と商売仲間たちのなかで育った。子どもの私から見て、彼らはかっこよかったんだよね。あんな大人になりたいと思わせる魅力をもっていた。

熊野　「今の話は深い！　やっぱり近くの大人、とくに親は、知らず知らずのうちに子どものお手本になっているんですね」

親父からは「自営業は大変だから、おまえはサラリーマンになったほうがいいぞ」な

んて言われもしたけど、自分のなかで「それはないな」と思っていた。クラスメイトのなかにはサラリーマン家庭の子もいて、彼らの家でそのお父さんに会うこともあったんだけど……なんとなく幸せそうに見えなかったんだよね。やっぱり自分は、親父やその友人たちのようになりたいと思っていた。彼ら自営業の魅力が、自分のなかに無意識に刷り込まれていたんだと思う。

杉山　「田中先生が『お子さんに就職活動を禁止した』と話している記事を読んだことがあるのですが、これにはどういう思いがあったのでしょうか？」

基本的に仕事は自分でつくるものだから。私が親父から教わったのも、そういうことだった。だから、まずは出発点として「仕事＝会社に入ること」という考えをやめなさい、と。それを、子どもが中学生くらいのときから言っていた。

もちろん、最終的には会社に入ってもいいわけ。でも、それはスタートじゃなくて最後の手段。まずは自分が自営業やフリーランスとして何をやりたいか、ということから考えてみなさい、どうしても無理で「ひとりで仕事をつくることができない」となったら、頭を下げて就職活動をしなさい、と教えた。これは「自分の限界を知れ」ということでもある。そうでなきゃ、就職活動をする会社にも申し訳ない。「入ってやる」なんていうのは、おこがましい考え。

とにかく働くということについて、まずは自分自身で何ができるのか、あるいは何がしたいのかについて考えろ、と伝えたんだよね。

その結果、3人の子どものうち、社会に出た2人は就職活動をしなかった。下の子も就職活動はしなさそうだな。親の言いつけを守る、いい子たちです（笑）。


「会社員か、フリーランスか」という時代は終わった

熊野　「新型コロナの影響でいろいろな変化が出ていますが、先生自身はどんなところに注目していますか？」

やっぱり人間って変わらないなぁ、目先のことにとらわれる生き物なんだなぁ、と思った。

たとえば、今日の感染者数は何人だったとか、給付金はいつもらえるのか、資金繰りは大丈夫かとか、そうした目先のことに意識が向かってしまう。それがわかっているか

ら、メディアの報道もそういう内容ばかりになる。

給付金を配ってしまった今後の財政は大丈夫なのか、人生１００年時代といわれるなかで未来の年金や医療制度は大丈夫なのか、という先々のことまで考えが及ばない。コロナ禍以前には考えていたはずだけど、危機を前にすると、今日とか今月とか、目先のことばかりにとらわれてしまう。

コロナウイルスに感染したくないから、手を洗ったり外出を控えたりするのは、身を守るための動物的・本能的な反応だよね。もっと理性的な面から将来を見据えていくべきだと思うけど、なかなかそれは難しいんだな、と。

あと、自分としては仕事上で予想していた変化が、かなり早く訪れてしまった、という思いがある。正直、それについてはかなり困惑している。ゆっくり考えればいいと思っていたことが、コロナ禍でめちゃくちゃ早まってしまった。

熊野　「具体的にはどんなことですか？」

たとえば講師業についてのＩＴ対応。コロナ以前から、いずれセミナーはオンラインに移行していくことはわかっていたけど、今回の騒ぎでそれが早まった。生の聴衆を相手にリアル講演をやるスタイルから、オンラインに変わっていくことは必然だと意識していたけど、しっかり準備をする前に、今回の騒ぎで一気に変化が起こってしまった。いろいろな仕事の、企画から実行までのすべてのプロセスで変化が起こっている。

このオンラインイベントだって、君たち2人がSNS経由でメッセージを送ってきたよね？　そういうことを、やろうと思えばすぐにできる時代が来てしまったわけだ。

あとは、そのオンライン化やデジタル化の流れのなかで、視聴者がコンテンツを無料で見ることに慣れてしまった。コロナ禍でボランティアの無料コンテンツがあふれたことで、デジタル環境の無料化が当たり前になってしまった。

これは提供側からすると、恐ろしいことだよね。顧客が無料に慣れすぎてしまったことで、これからお金をいただくことが難しくなった。コロナによってサービス業の有料化のハードルが高くなった。

今考えたいのは、コロナ騒ぎを無事やり過ごしたとして、そのあとをどう生きていくかということ。このデジタル化が進んで、かつ、みんなが無料に慣れてきたこの新しい環境のなかでどう働くべきか。根本的なところに立ち返って、なぜ働くか、どんな仕事をすべきか。そんなことを考える必要が出てきた。まあ、それは原点に返ってすべてを

見直すチャンスでもあるわけだけれど。
ただ、そんなふうに「仕事を根本から見直す」人は少数派かもしれない。多くの人はふたたび満員電車に揺られて職場に行く毎日に戻るだけかもしれない。出社勤務に戻るか戻らないか、それを自分自身で決められる人は少ない。仕事の内容ややり方を、「だれかに決められて働く」スタイルは変わらないかもしれないね。

杉山　「会社に行く、つまり企業に勤める働き方と、フリーランスや自営業という働き方が、大きく分けてありますよね。『会社という組織はもうダメなんじゃないか』という世の中の空気がある一方で、アフターコロナの世界ではお金のもらい方が難しくなるということは、『これから、フリーランスは超つらいぞ』という話でもあります。じゃあ、結局、会社員のほうがいいのか、って僕は思ってしまったのですが……そのあたりはどうですか？」

もうそろそろ、「会社員がいいか、フリーランスがいいか」という二分法で考えるのをやめたほうがいいかもしれない。これからは、会社員とフリーランスを分けている場合じゃないと思う。
実際のところ、働き方については両者の境界線が曖昧になっていくように思うよ。たとえ会社員であっても、辞めても大丈夫なフリーランス的実力をつけたほうがいい。そのためには、会社にいても「自分で仕事をつくる」意識をもたないといけない。またフリーランスも、安定顧客を見つけて会社員的な収入が得られるなら、それに越したことはない。これから会社員とフリーランスの境界は曖昧になっていくとしたら、その二分法を超えたレベルで「働き方」を考えるべきだと思うな。

産業革命前の働き方に戻っていく!?

会社員という働き方に関して、今回のコロナ騒ぎでいろいろ思うところがあってね。会社員というのは、まず出勤時間が決まっている。労働時間を自分で決めることが許されなくて、みんな同じ時間に出社しなければいけない。もうひとつは、働く場所が決められている。朝起きたら、決められた職場に行かなければならない。

こうして働く時間と場所が決められているのが会社員、という存在。「何時にこの場所に来なさい」と決められて、みんながいっせいに動くから、都市部でコロナに感染す

る危険性が高まってしまった。

では、この時間と場所を決められる会社員的な労働が、歴史的にいつ現れたのかというと、そんなに古い話ではないんだよね。一般的になったのは、産業革命で機械が登場して、工場が現れたのがキッカケ。労働の主役が人間から機械になったことで、機械に合わせて人間が働くようになった。

それまでの農業なら、朝起きて好きな時間から働けばよかった。でも機械が主役になると、「この時間に機械を動かすから、それまでに工場に出勤しなさい」と決められてしまう。シフト制も、産業革命が起きてすぐに現れている。そう考えると、会社員の歴史って、たった200年の話なんだよね。

100年前になると、アメリカのフォード・モーターが大規模な自動車工場を建てて、「従業員はみんなここに出勤せよ」となり、工場勤務者が一気に主流になった。

そういう流れの果てに現在まで至るんだけど……今の話って、工場労働者であるブルーカラーの労働についての内容だよね。今、会社の従業員って、ブルーカラーは少なくて、ホワイトカラーのほうが多いはず。でも、ブルーカラー時代のやり方で働いてしまっているわけだ。

杉山「つまり、機械中心で時間と場所を決められる必然性がない、と」

そのとおり。本来は変えるべきことを変えずにきてしまった、ということが、今回のコロナ騒ぎで明らかになってしまった。

技術の進化でリモートワークが可能になり、そのまま家にいて仕事ができるようになって、みんなが「働くってどういうことだろう？」と考え始めた。あるいは「本社に来る必要はあるんだっけ？」と疑問をもち始めた。

おそらく、ここから会社の集団主義が緩やかに解体して、ふたたび個人主義に戻っていくかもしれない。農業時代から工業時代になって、工場という大規模装置や会社という組織が必要になったけど、これがまたふたたび個人主義の時代へ戻っていく。

とくに個人の知恵なり知識なり発想なりが重要なサービス業では、ひとりひとりのやる気や幸せを重視する方向へ労働が変化していくと思う。もっと個人のやりたいようにやらせろ、才能を発揮させろ、となるのが必然かなと。そんなイメージをもっています。

歴史的に見れば、個人主義と会社や組織を中心とした集団主義は、数百年の歴史の中で振り子のように行き来している。個人主義から集団主義に行き、それが限界を迎えると、また個人主義に戻っていく。

ただこれからは、農業時代とは全然中身のちがう個人主義になる。農業時代だと「力持ち」の個人に優位性があったけど、今は力持ちに意味はない。これからはアイデアを

生み出せる「アイデア持ち」の優位性が高まるはず。同じ個人主義でも、ぐるっと一周回って、優位性の内容が変わってきているね。

そんなに会社を頼って大丈夫？

歴史的に見ると、今は会社というものが強すぎる。みんな会社に頼りすぎ。個人がみんな「会社がなんとかしてくれるだろう」といった感じで依存しすぎているから、もういちど、個人の力を取り戻そうという動きが、今後は増えるだろうと思うし、増えなければいけない。

熊野「それって日本特有の現象、日本だからそうなっている、ということはありますか？　それとも世界的にそうなのでしょうか？」

日本について言えば、大企業の従業員の比率がもっと高いと思っていたんだけど、そうでもなかった。中小企業や自営業の比率が意外に高いんだよね。欧米諸国に比べて大企業サラリーマンや公務員が多い国だと思っていたけど、データを見たら、それは勘違いだった。大企業の従業員や公務員ではなく、またフリーランスのように完全な個人でもなく、その中間の飲食店などの自営業や中小企業の従業員、中小企業の経営者といった層が、かなり分厚いんだよ。そういう層が今回の新型コロナ禍でいちばん困っている。その層の受けた直接的な経済的ダメージはとても大きい。

それに比べれば、大企業のサラリーマンは給料が激減したわけじゃないから、短期的な経済ダメージは受けていない。しかし、これからサラリーマンを養っている会社は、じわじわつらくなっていくと思う。このままだと従業員を養い続けられないんじゃないか、と。

熊野　「昨日は前野隆司先生に来ていただいて、『日本人は幼稚』というキーワードが出ました。日本人は精神的に自立することなく、親に面倒を見てもらう子ども時代から、社会に出たら会社に面倒を見てもらう、という社会システムをつくった。かならずしもそれが悪いわけではないが、そのシステムの中で個人の面倒を見てきた会社がぐらついてきた。そういう状況下で、われわれはどうすればいいんでしょうか？」

ちょっと状況を整理してみよう。いまさら会計士ヅラするのもなんだけど（笑）、まずお金の話から。

今回の新型コロナ騒動を受けて、命の次に経済的問題が発生した。命の次に大切なものはお金。人はお金がないと生きていけない。目先には新型コロナを拡大させないことが第一だったけど、その次に、経済の復活が急務となった。アフターコロナになれば、お金がさらに重要な問題となるのは間違いない。

ここで理解しておくべきは、世の中には3種類の財布がある、ということ。

1つ目は家庭の財布。自分自身と家族の財布、これが最小単位。

2つ目が会社の財布。会社にどれくらいの儲《もう》けがあるのか。

そして3つ目、いちばん大きいのが国の財布。国家財政の状態。

今回のコロナ騒ぎで、みんなの意識は「家庭の財布」に向きすぎている。だから、早く給付金をよこせとか、そんなところにばかり意識が向かっている。

でも、その給付金はどの財布から出てきたのか、というと、3つ目の国家の財布からだよね。そうすると国はどんどん貧乏になっていくわけ。その収入（歳入）の不足は税金で補うしかない。つまり、国家経済の停滞は、つまるところ個人の負担になってしまう。両者にとってマイナスなわけ。経済の低迷を放置しておくと、国家財政はどんどん悪化していって、次世代の子どもたちがツケを払わなければならなくなる。

ここで、個人や家庭と国家の間にある、2つ目の財布をもつ会社は、ある意味クッションのような、緩衝材の役目を果たす存在になっている。個人は無力でも、会社が優秀であれば、そこに勤めることで個人は生きていけるから。

日本では他国と比べて、この「会社」の存在感がとても大きいなと感じる。会社はどの国よりも従業員の面倒をよく見るし、個人は給料以外の稼ぎをほとんど考えていない。しかも従業員の個人の所得税も、金額の計算から納付まで、すべて会社が代行しているでしょう。だから会社員は、まったく税金のことを知らなくても生きていける。

熊野　「源泉徴収から年末調整まで、そうですよね」

そう。この源泉徴収と年末調整って、本当にうまい仕組みだなと思うんだよ。毎月の源泉徴収をとりすぎているので、年末調整でお金が返ってくる。お金が戻ってくると、みんな「わー、お金がもらえた」と喜ぶんだよね。でも、喜んでいる場合じゃないんだよ。余分に取られていただけだから（笑）。

これは、お年玉で子どもを手懐けるレベル。悪く言えば、奴隷をしつけるかのような仕組み（笑）。個人が税金の仕組みを学ぶ機会を奪ってしまう愚民政策。サラリーマンは税金の計算から納付まで、すべて会社に面倒を見てもらうことで、学ぶ機会を奪われる。

だから、この国のサラリーマンは税金や会計に疎いんだよ。

こうした税金の扱いひとつとっても、日本ではいかに「個人が会社に依存しているか」がわかる。そのお陰で私に仕事がくるから、いいんだけどさ（笑）。

これから平均寿命が延びていけば、国の年金負担は増えていく。財政的に耐えられなくなった国家は「定年を延長しろ」と、会社を頼ることになる。

定年延長は個人にとっても、都合がいい。定年退職してから年金受給までに空白の期間があると、その間を自分で働いて食いつながないといけない。その実力があるかといえば、ない人が多い。だから、少々給料が下げられても、定年延長はサラリーマンにとってうれしい。

こうして、国と個人の利害を調整し、間を取り持つのが会社という構図。でも、これまではよかったけど、これからも会社頼みで大丈夫なのかな、って心配だね。

熊野　「高度経済成長期ならともかく、終身雇用・年功序列で、税金に関しても徴税されていることすら気づかないくらい会社におんぶに抱っこで大丈夫、というやり方は、もう破綻しつつありますよね。そんなタイミングで起きた新型コロナがとどめを刺すような形になった。それなのに雇用延長を強いられることになれば、企業にとっては相当厳しいですよね」

企業がこれまでのように従業員を養い続けられるか、ということについて、私は悲観的だな。

もちろん、一部にはうまく乗り切る会社もあるはず。でも日本企業の場合、もはや個々人の知恵と工夫で乗り切れるレベルではなくなっているように思う。これからの日本企業すべてが、今までと同じように収益をあげて、今までと同じように従業員を雇用できるとは思えないんだよね。

でも、国からは定年延長しろというプレッシャーがくるから、会社としては雇いたくないのに、年配の従業員を雇わざるをえない。

その結果、何が起きるかというと、会社内の「飼い殺し」が増えてくるだろうな、ということ。つまり、雇ってあげるし給料や通勤手当は出してあげるけど、雇われている人たちのプライドが傷つけられるような働き方を強いられる例が、もっともっと出てくると思う。

これからキャリア後半を迎える人たちにとって、アフターコロナでは、今までと同じようなベネフィットを受けられなくなるに違いない。かなり厳しい状況が待ち受けていると思うね。

今、私は56歳なんだけど、最近、同級生と飲むのがおっくうなんだよね。高学歴で大企業に就職した同級生のほとんどに「おまえたち、全然働いていないだろう」と感じることが多い。本人たちには言わないけど（笑）。なにも仕事をつくっていないで、先人のつくった仕事を回しているだけ。「新たに仕事をつくる」責任と勝負から降りちゃっているよね。彼らを見ると「アガリを迎えるのが早すぎるだろう！」と、いつも思う。たとえば金融関係なんかは何歳になっても働けるわけで……それどころか、人間関係の機微、知識や経験、それらが融合して、人生でもっとも仕事の実力を発揮できるのは、50代後半くらいからだよね？

それなのに、「出向したら毎日5時に帰れるようになった」とか言うなって。なんだか……嫌だよね。「世の中の役に立つのは、ここからだろう！」と思う年齢なのに、守りに入るってさ。

まあ、そんなこんなで、私は会社とサラリーマンに関して悲観的です。これからはもうちょっと「ひとりで仕事をつくれる」力をつけるべきだし、そんな人間を会社は増やすべきだと思う。

あるいは、定年後も自分で仕事をつくれる人間にならないとダメだと思う。寿命はどんどん延びて100歳まで生きるかもしれないのに、60歳そこそこでリタイアでは早すぎるって。

今までみたいに、会社に頼って生きていくやり方は……止めはしないけど、改めたほうがいい。うまくいかなくなる可能性のほうが高い。だから、今の30～40代にメッセージを送るとすれば、勇気をもって自分で動く、という方向に舵を切ったほうがいい。とにかく動き始めたほうがいい、ということです。一刻も早いほうがいい。

それは、今すぐ会社を辞めろということではないんだよ。会社の中にいても、「自分で自分に責任をもって動く」ということを始めないと……言われたことをやっているだけでは、手遅れになる危険性が出てきた。

杉山　「まだ間に合うんでしょうか？」

もちろん間に合います。

重要なのは、何か行動を起こすにしても、無分別に動くのではなく、今は耳を澄ませたほうがいい。世の中は大きく変わっているので、耳を澄ませば、いろいろな物音が聞こえてくるんですよ。目に頼るより耳に頼ったほうがいい。スマホを通じて目から入っ

てくる映像や文字情報は、具体的でわかりやすいけど、ちょっと「具体的すぎる」きらいがある。今のようなときは、具体的な情報より、どんな変化の音が聞こえてくるかを敏感に感じ取ったほうがいい。
たとえば街を歩いて、工事をしている音とか雑踏の音とかクルマが走る音とか、そういった物音を聞く。そうすると、自分の歩んできた人生などと照らし合わせて、感じるものが出てくるんです。
そのような「街を歩いて耳を澄ます」感覚を大切にすれば、「今、何が起こっているのか」ということを、自分の感覚としてつかむことができる。そのうえで、自分なりの動きにつなげていくことが、今は必要になっていると思います。

「場」をつくれる人間になれ

熊野　「では、まとめの言葉として、30代、40代は今後どうする？　という部分を含めた話をお願いします。僕たちがあと一歩を踏み出すための勇気をもらえるような、そんなアドバイスをいただきたいです」

「働き方をどうする？」というテーマに沿った言葉だよね。OK、書けました。

人と動く

働くということは……漢字そのままなのですが……「人と動く」ということ。『人を動かす』なんていう本がありましたけど、あれじゃないです。だれかを動かそうとするなんて、おこがましい。自分自身が主人公として動く、しかも、いい仲間を見つけて一緒に動く、ということ。

会社というものが、歴史上、有効性を発揮できる環境にあって巨大な存在となり、そこに所属して働くことがいいことだ、という認識が、世界的にも日本国内でも高まった。その結果が、今のサラリーマン大量発生状態。だとすれば、親が子どもに「いい学校を出て、いい会社に入りなさい」と言うのは、当然のことなんだよね。

でもそれは、「これまではそれでよかった」という話。

20〜30代は、先々のことを考えると、このまま会社にいてもいいのかという不安をもっていると思うし、今の仕事に疑問をもつ人もいると思う。その不安や疑問はきわめて正しい。

また、40代になると、もうちょっと切実に、「このコロナ禍もあって、自分は何かを考えていかないといけないんじゃないか」という危機感が出てくる。それもまた正しい。

だとするならば、もうとにかくその違和感をもとに、一歩踏み出して動いていくしかないんだよね。新しいことにチャレンジしてみるしかない。

君たち2人（熊野・杉山）も、今回、このような場をつくるべく、動いたわけだよね。こうしたチャレンジこそが貴重だし、もっともっと増えるべきだと思う。

「場」というものに関して言えば、2種類の人間しかいない。それは、場に参加するだけの人間と、場をつくることのできる人間。ここで、**「場に参加する」だけではなくて、「場をつくる」というのが「動く」ということです。**あちこちの場に参加していたとしても、私はそれだけでは「動く」とは認めない（笑）。それは受け身でしかないからね。

やっぱり自分で場をつくれる人間にならなければいけない。能動的に自分から場をつくって……批判されてもいいから、とにかくやってみることが大事。

そのうえで、「動く」ときに重要なのは、よい仲間を見つけて一緒に動くことだ。自分ひとりでやれることって限界があるから……私もそうだけど、仲間がいないと動けないよね。人間って結局は孤独なので、最後の最後には自分でがんばらなきゃいけないんだけど、新しい時代に新しい何かをやろうとするときに、ひとりだけでやるには、限界がある。

今はインターネットがあって、いろいろなつながりができるので、仲間を見つけて一緒に動くということができる環境にあるわけ。この「できる」から、「実際にやる」ことへと、ステップアップさせていかないといけない。「どんな新しい場をつくれるか」、それが勝負だと思うね。

もちろん、私自身もやりますよ。これからもいろいろなチャレンジをしていこうと思っています。だから、これは若い人たちに向けて、「一緒にやろうぜ」という呼びかけでもある。

今までの枠組みにとらわれず、新しい場をつくっていくという取り組みを、気の合う仲間とやっていく。それが30代、40代の人たちがやるべきことだと思います。

熊野　「めちゃくちゃいいことを言ってもらいました。震えがきています。最初に言っ

たように、田中先生は仲間と場をつくるということを、TACで初めてやった人なんです。資格試験の合格率を上げることだけが仕事であるはずの専門学校で、その先生が、試験に受かることよりも『とにかく仲間でおもしろいことしようぜ』と言って。それから30年近くたった今でも、田中先生はよい仲間を集めて、いつも勉強会とかフリーランス塾とか、おもしろいことをチームでやり続けている。つまり、『人と動く』という点に関して、田中先生はずっとお手本を見せ続けてくれていたんだっていうことに、僕は今、泣きそうになりながら気づきました」

褒めてくれるのはうれしいけど、結局、寂しがり屋なんだよね、きっと（笑）。だれかと一緒にやらないと寂しい、というね。自分ひとりでやってもいいけど、人と一緒に何かをやるほうが楽しいじゃない。

出すぎた杭は打たれない

何かをするときに人と一緒に動く、ということに関して言うと、「ネオ・ギルド」のようなものが形成されていくのかな、と思う。

歴史的には、個人がバラバラにやっていたところにギルド（中世ヨーロッパで結成された、商工業者の同業者団体）という同職集団が生まれたものの、資本主義の進展に伴って、会社という組織にとって代わられました。でも、これからもういちどギルド的な個人集団に回帰するんじゃないかな。基本は個々人なんだけど、みんな、なんらかの思いや志をもって緩やかに集まる、という形にね。

それは退行しているように見えて、ちゃんと昇華しているんですよ。21世紀は、個々人およびネオ・ギルド、というような体制がつくれる時代になればいいな、と思っています。

熊野　「すごくよくわかりました。個として立っていきながら、仲間と一緒に楽しいことをやるということが、同時にできる世の中になった、ということですよね」

なってきたねぇ。だから、会社員も、自分が会社員だからといって制限を設ける必要はまったくないし、逆に言えば、もうそれは許されない。ネットを使えば、国内・国外を問わず、いろいろな人たちとつながれるようになっています。それは、どんな会社にいて、どんな勤務形態でもできるわけですから、どんどん使って、ワクワクしてほしい

ですよね。そうやって場をつくっていきたいね。
そのためには、もういちど「自分は何がしたいのか」を確認するところから再スタートしないといけない。それがネオ・ギルドへの最低限の参加資格だと思います。

杉山　「大企業や大きな組織に勤めている人たちは、その中で何かをやろうとすると障壁があると思うんです。止めてくる人たちもいます。そんななかで、どう動けばいいんでしょうか?」

気にせずやっちゃえばいい、と思います。とは言っても、組織の中では個人のやりたいことは犠牲になりやすいことも確か。組織が大きくなれば、かならず組織の内側にルールができる。そのルールや論理の中では、個人のワクワクするような思いは犠牲になって、組織全体の中に吸い込まれていってしまう。
でも、水はかならず高いところから低いところへ流れるもの。世の中というものは、ちゃんと正義をもってやっていることには、かならず味方がついてくるし、足を引っ張るヤツや止めてくるヤツがいても、絶対にそっちには流れが行かないようになっている。
だから、正々堂々と「俺は正しい」と言い続けたら、足を引っ張ってくるヤツもやっつけられると思うんだけどねぇ……。でも、会社で働いたことがあまりないから、私の考えは甘いのかもしれない。

「出る杭は打たれる」というのは、自営業やフリーランスにもあるよ。ちょっと目立つことをやると、かならず同業者などから叩かれる。

だけど、「出すぎた杭」までいけば、ほとんど打たれなくなる。中途半端に出ると打たれるけど、ガーンと飛び出てしまえば、打たれるのではなくて「すごい」と言われる。

フリーランスだけじゃなくてサラリーマンでもそう。私の友人に、そういう「出すぎて打たれない」スーパーサラリーマンのような人が何人かいます。

どうせ出るのであれば、思いきり「出すぎた杭」にならないとダメ。最初に稟議《りんぎ》にかけてから、承諾をとってから、とウダウダしていると、絶対につぶされるから。そんなの忘れたふりをして、とらなければいいんですよ（笑）。とらないで、いきなり始めてしまえばいい。

会社の中では反発されるけど、顧客からはものすごい信頼を得られる、ということもあるよね。その域まで行った人は、会社の中にいても、独自の世界をつくっていますよ。

熊野　「出すぎた杭になるためには、自分が徹底的に好きなことだったり、自分が命をかけられるくらいのことだったりしないと、出すぎるくらいまでには行けないで

すよね。であれば、自分が何にワクワクするのかをしっかりと突き詰めたうえで、勇気をもって動く、ということが突破口かもしれないですね」

何を突き詰めるか、ということについて言うと、今はみんなお利口さんになりすぎていて、専門性を突き詰めていっちゃっているんだよね。会計士の場合で言うと、みんな会計業務の中で専門分野を見つけていく。たとえば、医療分野の専門家になるとか、M&Aの専門家を目ざすとか、会計分野をいくつかに切り分け、その中から選んでいくということで、専門性を突き詰めていっている。

でも、こういうやり方だと、専門性を突き詰めることで、どんどん「好き」から離れていく可能性が高い。あと、どこまで専門性を突き詰めていっても、同じことを考えるヤツはかならずいるから、絶対にライバルがいて、競争になってしまう。

だから、「専門」を突き詰めるのはやめて、「特別」を目ざしたほうがいい。余人をもって代えがたい人物になるということ。「あんな人、ほかにいないよね」と言われる存在になったほうがいい。

これは才能の問題ではなくて、視点の問題。私でいえば、会計士だけど落語家と仕事をする会計士、落語会にゲストで呼ばれる会計士。これで十分。そんな変なヤツ、ほかにいないから（笑）。

周りがその特別感を理解してくれるようになると、講演や文筆などの仕事がくるようになる。これって「専門」じゃない。専門じゃなくて特別。

まあ、私の場合は楽しいことをやっていたら、自分で意図しないうちに「特別」につながった。みんなもいつか特別になることを目ざして、好きなことから一歩踏み出すということでいいと思うよ。

〈追記〉仲間が必要な、もうひとつの意味

……ひとつだけ伝えそびれた。それは仲間をもつことの、もうひとつの意味について。

あえて新しいことをやろうとすれば、それがどんなことであれ、かならず批判を受ける。現状維持を望む人々から、かならず足を引っ張られる。「出すぎた杭は打たれない」と頭ではわかっていても、批判や悪口に耐えるのは容易ではない。

これから経済が厳しくなるとしたら、かならずや「不満のはけ口」がどこかへと向かいます。14世紀のペストのときにはユダヤ人が犯人扱いされて虐待されたし、その後も

飢饉《ききん》や疫病のたびに魔女狩りが行われた。最近で言えば、22歳の女性が自分の表現の場を求めて「演じた」だけで、ネットの誹謗中傷にさらされ、自ら命を絶ってしまった。

こんなことがあってはいけない。

勇気をもって一歩踏み出した人間が、こんな目にあってはいけない。ネットの陰口というのは、頭では「気にしなければいい」とわかっていても、確実に心をやられる。私のような、図太い大人でも、やっぱり参ってしまった経験がある。

「動いた」ときに悪口、陰口をたたかれるのは、「動いた」証拠でもあるわけ。でもそれは、やっぱりひとりで受け止めきれないことがあるのも事実。だからこそ、仲間が必要だと思うんだよね。

図太い私でもそうなんだから、若い人たちの精神的ダメージは計り知れない。ネットの誹謗中傷についてなんとかしなければと、もどかしい思いを抱いています。

喜びを分かち合い、そして、愚痴を言い合える、よい仲間をもとう。

それがあって、動ける。

以上、蛇足ですが、みなさんにどうしてもお伝えしたく。

第三夜
パートナーとどうする？

話し手

林田香織さん
パートナーシップのスペシャリスト

〈5月27日〉

——ある視聴者の独白

私には得意技がある。

それは子どもを寝かしつけることだ。いったいなぜ、いつからこんな技を手に入れたのかはわからないけれど、日中は壊れたお掃除ロボットのように、掃除とは正反対のことをしながら走り続ける5歳と2歳の男子たちは、2人とも太もものあたりに眠りのスイッチがあるようで、マッサージをしていると電池が切れたように眠り、そしてまったく、まったく、まったく起きない。なんてありがたいことだろう。おかげで1人の時間をつくることには、ほぼ苦労しない。困っている人に分けてあげたいくらいだ。義母によると、夫も子どものころはそうだったらしい。すばらしきDNA。

今夜はとくに早く寝てくれた。おかげで7時過ぎから1人の時間がスタート。気になっていたオンライントークイベントが始まるまで、とにかくぼーっとしていよう。

「感染リスクを下げるため」なんて、体のいい言い訳でしかない。

夫が会社近くの短期賃貸マンションで暮らすようになって、もうすぐ2か月が経つ。そりゃあ1人で子どもたちの面倒を見たり、仕事をしたりしているので、やることが増えたことには違いない。この状況だと高齢の両親にサポートをお願いすることもできなければ、シッターや家事代行サービスを呼ぶこともはばかられる。とはいっても、無駄に高い理想を追い求めなければ、できないことはない。できることをできる範囲で。大変な状況を乗り切るすべは、ほんの5年程度の子育て経験が教えてくれた。

何より、どれだけ作業が増えたとしても、夫がいないことで精神的なストレスが圧倒的に少ないのだ。残念ながら。

第三夜　パートナーとどうする？

[ある視聴者の独白]

世の中では家事シェアとか、分担がどうの、なんて話をよく聞くが、私には縁がない。

「結婚することが幸せだとは限らない」。自分がかかわる雑誌で長年付き合っている女性イラストレーターから何回も聞いた言葉が、今はよくわかる。私にとってメンターのような存在の彼女は、シングルマザーとしてフリーで仕事をしながら、一人息子を立派に育て上げた。そんな姿を目の前で見ていると、自分もひとりで生きていけるんじゃないかと錯覚したこともある。それでも私は結婚した。

そもそも、それが間違いだったのかもしれない。

結婚したとき、すでに40を超えていた夫は、一人暮らしが長かったおかげで一通りのことは自分でできる。だからこそ、今もこちらに頼ることなく、一人暮らしをしている。LINEのメッセージが来るのは1日2回。そのうちの1回の最後には、かならず「子どもたちのこと、ありがとう」と書いてある。

その「ありがとう」が私を苦しめていることに、彼はきっと気づいていない。

家にいれば家事もする、子どもの面倒だって見る。それに加えて、ちょこちょこ言ってくれる感謝の言葉。これだけ見ればまるで理想の夫であり、それに対してモヤモヤしている私のほうがどうかしている、と思われるだろう。

きっと、よけいなことを考えずに、素直に喜べばいいんだと思う。でも、私にはそれができない。それは夫の感情が感じられないからだ。夫の「ありがとう」はただ、5つの文字を並べただけで、心から言っているようには感じられない。そのありがとうの前に「ありがとうって言ってほしいよね？　じゃあ言うよ」という、注釈があるように感じてしまうのだ。毎日届く「子どもたちのこと、ありがとう」だって、きっと「こ」だけ打てば予測変換で出るから打っているんじゃないか、と疑いたくなる。

感情の起伏が激しいわけでもない。それがいいところなんだろうとは思うけど、その完璧さはさながらロボット。たとえ私が怒りをあらわにしても、美しい角度で頭を下げて理想的に謝るだけで、言い返してこない。

ああ、思い出すだけで腹が立ってきた。そして腹が立つたびに、きっと私自身が至らないから、世間から見たらこんな理想的な夫にぶつかっているんだろう、と落ち込む。もう何百回も繰り返している。

やっぱり離婚するしかないんだろうか？

たぶん、夫に言ったら、2回は拒む。というより、もう少し考えてみよう、と柔らかく先延ばしをする。で、3回目には黙って受け入れる。そのイメージはもうできている。夫が本当のところは何を考えているのか、それは全然わからないのに、こういうイメージだけはビックリするほど明確に出てくる。それはきっと、あくまで妄想の範囲だからなのかもしれないけど。

あおった缶ビールは軽く、自分が思った以上のスピードで鋭く天井に向いた。確か、もう一本あったはずだ。冷蔵庫のほうを振り向くと時計が目に入った。8時30分——。

あ。

私は急いでビールを取ってきて、送られてきたURLを開いた。

子育て中の会社員はマイノリティではなかった！

杉山　「第三夜は、企業や自治体でお父さん、お母さん向けに仕事と子育ての両立支援の研修講師などをしている、パートナーシップのスペシャリスト林田香織さんがゲストです。コロナ禍の前後で、夫婦関係はどう変わったと思いますか？」

ゴールデンウイーク後、コロナ状況下の子育て夫婦に、夫婦関係満足度の変化に関するアンケートを行い、ＳＮＳ経由のウェブ調査で５７３名が回答してくれました。その結果、「変わらない」が最も多くて約7割、その中でも「変わらずに、よくも悪くもない」という意見が多数でした。あとは「よくなった」が約2割、「悪くなった」が約1割です。メディアの情報を見ていると、「悪くなった」がもっと多いかと思っていましたが、そんなことはありませんでしたね。

熊野　「危機的な状況だからこそ、ステイホームで時間もあることだから、話し合ってみようという、わりと建設的に動けたカップルが多いんでしょうか？」

確かに、話し合う時間は増えたようです。アンケートでも「会話時間が増えた」という回答が約6割ありました。でも、そのうちの半数以上が、目先のコロナ対応をどうするかという話題――つまり〝業務連絡〟でしかないんです。自分たち家族は今後どうしていくのか、家事育児の分担を将来的にどうしていこうか、といった本質的な話はできていないんですよ。

とはいえ、今回の事態では、在宅勤務をしながら子どもの面倒も見なければいけないし、子どもの運動や食事などの健康管理もしなければいけない、という状況だったので、目先のことの話ばかりだったのは、しょうがないかなと思います。

とくに、子どもが家にいながらの在宅勤務はどれだけしんどかったか――。

今回の事態では、家族以外のだれにも頼れなかったんですよね。今までだったら、おじいちゃん、おばあちゃんにお願いすることもできましたけど、コロナをうつしてはいけないから、それもできない。シッターさんやファミサポさん（ファミリー・サポート・センター事業の会員）などの第三者に頼ることもできない。そういう閉塞的な状況のなか、お母さんだけではなく、お父さんひとりで対応するケースも多かったと思うので、どの

家族も本当に大変だったと思います。

杉山「どれくらいの比率の人が在宅勤務をしていたかは、わかりますか？」

私がやったアンケートでは、夫婦ともに在宅勤務が36％、お父さんのみ在宅勤務が10％、お母さんのみ在宅勤務が30％でした。在宅勤務か出社かという点では、在宅勤務の人のほうが圧倒的に多かったですね。

杉山「在宅勤務は、働き方の面から見ると、通勤時間がなくなるので自由な時間が増えるとか、ポジティブに捉えられる部分も多いはずですが、チャットには『子どもの勉強を見たり、三食つくったりで自分の時間がなさすぎるうえに、だれにも会えないので、ストレスＭＡＸで爆発寸前』といった意見もありますよね」

そうだったでしょうね。悶々《もんもん》として、すごくきつかったんじゃないかと思います。子どもたちも、ストレスがたまったと思いますよ。「お父さん、お母さん、もっとかまって」と本当は思っていたでしょうけど、在宅勤務の場合、なかなかそうはできないので、「何でかまってくれないの？」と、よけいにストレスをためてしまいますよね。

熊野　「先日、ある会社のお父さんお母さんたちと、オンラインで子育て相談会をやったのですが……在宅勤務だけならいいけど、子どもを見ながら仕事をするって、そんなの絶対に無理、そもそも『無理ゲー』だよね、という意見が多かったです」

子どもがいながらの在宅勤務が「無理ゲー」だと感じる原因として、仕事のスピード感や業務量を、コロナ前の基準でコロナ中もやろうとしていた、というのがあります。コロナ前と状況が違っているのだから、以前と同じレベルで仕事をこなすのは、そもそも無理なんです。それなのに、基準を変えずにやろうとして「到達できない」という状況になっても、それは当然のことですよね。

その一方で、ＳＮＳには「リモートワークになって仕事の効率が上がった」「スピード感が上がった」という意見も書き込まれていますよね。本来は仕事の種類や家庭の状況、それぞれの背景を考慮しなければいけないのですが、そういうのを見てしまうと、自分の今の状況と単純に比較して、「自分には無理」と感じてしまう人もいます。

ウィズコロナでの仕事のレベル感というのは、それぞれの家庭や個人で違ってきます。今後は、それを個々人が見極めたうえで、家族や職場の人たちとすり合わせていくことが必要ではないでしょうか。

熊野　「それって、コロナ前からあった問題ですよね。子どもが生まれて休職する場合、その後に復職する場合、親の介護が必要になった場合……。いつ新たな制約が生まれるかわからない時代にあっては、つねにフルＭＡＸで働かなければならないという妄想を、国民全体で取り除いていく必要がありますよね」

そもそもビフォーコロナでも、職場の過半数、一説によると7割の人がライフに何らかの制約がある「制約社員」でした。育児だったり、介護だったり、自身の病気だったり、だれかの看病だったり――そんな制約社員が7割もいるということは、**育児期にある人たちの働き方はマイノリティではなくて、コロナ前からマジョリティだったんです。それなのに、じつはマイノリティの、「24時間働けますか」みたいな人たちの働き方に合わせてしまっていた。**

でも、在宅勤務を経験して、仕事のレベル感は個々人で異なるということを共有できたと思います。そんな今だからこそ、マジョリティである制約社員たちが声をあげて、コロナ以前の「無理ゲー」に戻さないようにすることが大切だと思います。

ただ、企業側との対話の土壌をつくるためには、従業員の側もきちんと発信していかないといけませんよね。第二夜の田中（靖浩）先生の話にもありましたが、企業の中にいようと外にいようと「動く」ことが大事だと思います。

これは家庭の中でも一緒です。今後どうしていくのかということを、言わないで終わっちゃうのか、きちんと話し合うのか。夫婦2人の時間をとって、落ち着いて話し合うのがいいと思います。

ただ、前野（隆司）先生の話に出てきた二極化が進んでいて……それを話し合える夫婦と話し合えない夫婦、コロナ前に戻る夫婦と戻らない夫婦に分かれてしまっています。

今こそ、ＤｏよりもＢｅを大切にしたい

杉山　「チャットで『Ｄｏではなく、Ｂｅで話したい！　と泣きながら（夫に）訴えました』という意見があったんです。これから仕事をどうするか（Do、Doing）という話に、夫婦のあり方（Be、Being）が振り回されていると感じるのですが、そのあたりはどうでしょうか？」

夫婦や家族のあり方が仕事に振り回されているということは、たくさんあるでしょうね。これも、コロナによって浮き彫りになりました。こんなときだからこそ、自分の家族がどうありたいか、という本質的なことをもう一回考える、今がその「時」なんですよ。そのうえで、仕事に振り回されない家族にしていくことが大事だと思います。

そのためには、田中先生がイベント後に追記してくれていた「仲間が必要な、もうひとつの意味」（83ページ参照）がすごく大事になります。「自分はこう思うから、今後こういう働き方でいきます」と1人だけで主張するのは、すごく不安だし、怖いと思うんですよ。これだけ個々人の基準がバラバラになっている世の中で、自分はこうしたいと思っても、それって社会的にどうなのかな、職場的にどうなのかなと考えると、不安になるんですよね。

その不安を解消するためにも、同じ境遇の人たちで話し合う……オンライン飲み会でもSNSでも何でもいいので、職場の人たちや地域の子育て仲間と、「コロナが落ち着いてきたけど、みんなはこれからどうやって働いていくの？」「ウチはこう思っているんだけど、お宅はどう思うの？」といった話を、お互いにするのがいいと思うんです。周辺の人たちと意見を交わして、「ああ、やっぱりそう感じているんだ」「自分だけじゃないんだ」という感覚を共有できる仲間をつくっていくのが、すごく大事です。

そうやって仲間をつくって、心理的な安全性を少し高めたうえで、職場とコミュニケーションをとっていくのがいいと思います。そうすれば、職場から何か否定的なことを言われても、「仲間との間ではこういう意見だった」というものが拠《よ》り所《どころ》となって、自分の意見の軸がブレることなく、職場の言いなりになることも少なくなるんじゃないかな。

だから、田中先生がおっしゃっていた仲間や場が大切になってくるんです。

熊野　「ひとりで悶々と考えてしまうと、『やっぱり無理だよね』という方向にばかりいってしまいますが、仲間の話を聞いてみたり、自分の意見を聞いてもらったりすることで、勇気が出てきますよね」

そうですね。今だからこそ大事になってきますよね。

あと、「今はできていないけど、本当はこうありたいな、こうしたいな」という思いは、きっとみんなあると思うんですよ。だから、妄想レベルでもいいから、自分たちの「こうしたい、こうありたい」を共有して、みんなで「そうだよね」と共感し合うことも大事だと思います。

ただし、よその家と比較しないほうがいいです。たとえば、私もそうなんですが、SNSって、うらやましがられそうな情報とか、いいことしかアップしないですよね（笑）。だから、SNS上には基本的にいいことばかりが出ているわけですよ。しかも、見る側も自分が見たい情報を選別している部分があるから、そういう情報と自分たちを比較してはいけないと思います。

つまり、夫婦や家族で、「ウチはこうだよね」という話し合いをしておくことと、よその家の話を聞くことは、セットでやらないといけないと思いますね。「〇〇ちゃんの家はこうだから、ウチもこうしなきゃ」とならないように。そうじゃないと、かえって不安になっちゃう人もいるかもしれないかな。

「危機だ」と気づく感度を磨こう

二極化の背景として、今回のコロナ禍をちゃんと危機として捉えられるかどうか、が大きいと思います。要するに、「このままじゃまずいよね」ということを認識して、ちゃんと危機に向き合えるかどうか。「危機だけど、なんとかなるかな」「これまでもどうにかなってきたし、たぶん会社も潰れないし、大丈夫だよね」といった考えにしがみついてしまうと、おそらく夫婦で会話もしないし、変わらなきゃとも思わないですよね。

ウチの次男の話なのですが……17歳の次男は大学受験を控えていて、コロナ前は何となく進路を決めていたんですよ。でも、緊急事態宣言が5月末まで延長になったときに、変わったんですね。自粛期間が明けたら学校に行って、部活もやって、と楽しみにしていたのに、延長になってしまった。それで危機感を覚えたのでしょうか……もう一回原点に返って「俺は人生で、いったい何をやりたいのか考え直したい」と。その結果、進学する学部を考え直しました。高校生なので、あまりたくさんのことを親に話したがらないんですけど、ポロッと……「俺、たぶん志望を変えるかな」という言葉が出てきたんです。

こんなふうに、17歳でもいろいろと考えるんだから、私たち大人もいちど立ち止まって、自分のやりたいことをきちんと考えたほうがいいと思いましたね。

二極化しているうちの気づけない人たちが、どうやったら危機であることに気づけるようになるか。そのためにも、仲間や場は大事になってきます。何かのコミュニティや、普段のご近所話でもいいのですが、仲間との会話の中で「みんな危機だと捉えているん

だ」ということがわかると、焦りとともに気づくのではないかなと思うんです。

4、5歳の子どもでも「何となく違うぞ」という雰囲気を捉えて、感度が高くなっています。そういう、幼い子どもが感じ取っているセンサーのように――田中先生は「耳を澄ませ」と言っていましたけど――大人も感度を磨いて、危機であるということに気づいてほしいですね。

コミュニケーションは「小さな奇跡」の積み重ね

杉山　「『パートナーとどうする?』と考えた場合に、どの本を読んでも、コミュニケーションを積極的にとったほうがいいという結論に達するのですが、それがうまくできない人たちもいます。では具体的に何から始めたらいいか、ということを考えていくにあたって、まず熊野さんはどう考えますか?」

熊野　「人には自分のことをわかってほしいという思いがあるので、パートナーどうしの場合、2人で『わかってほしい』のせめぎ合いをしてしまうんです。本来、大人なんだから、『ちゃんと口で言おう』『ちゃんと人の話を聞こう』という話なのに、不思議なことに、仲がよくなったり身近になったりすればするほど、『わかってもらって当たり前』という前提で会話を始めてしまいます。そして、相手がわかってくれないことに対して、怒りで『わかってほしい』というアピールをするんですよね。これが、コミュニケーションのうまくいっていない夫婦や親子、上司・部下の典型的な構造です。ではどうすればいいか――わかってほしいなら、わかってもらうための努力をしましょう、わかってほしいのは相手も同じだから、自分も相手のことをわかろうと努力しましょう、というグランドルールを設定すればいいんです。そのうえで、僕は5つのポイントをまとめました（次ページ）」

1つでもいいからやってみる、というのが、すごく大事ですよね。「無理」「いや、それはできない」と言う人が多いのですが、実践してみないと、できるかできないかはわからないですよね。「自分はできない」と言っていたら、結局何もできません。だから……私は「小さな奇跡」とよんでいるのですが、とりあえずやってみて「よかったかも」と感じ、もう一回やってみて「やっぱりよかった」と再確認していく、そんな感覚を積み重ねていけば、最初は照れくさかったとしても、だんだん自分のものになっていくと思うんですよよ。

夫婦の会話5つのポイント

① 挨拶をしっかりしよう
「おはよう」「おやすみ」といった挨拶を、ちゃんと相手の目を見て言いましょう。親しき仲にも礼儀ありなので、これを端折ってしまうと、コミュニケーションがスタートしません。

② 相手の状況をちゃんと考える
相手がソファでスマホをいじっているときでも、もしかしたら大事なメールを打つ前かもしれません。会社で上司や同僚、部下に「ちょっといいですか？」と声をかけるように、それを夫婦でもやってみませんか。大人としての適切な配慮をもちましょう。

③ 目的を最初に伝える
「今から、このことについて話し合いたいんだけどさ」「これについてアドバイスがほしいんだよね」「ちょっと愚痴を聞いてくれるだけでいいから」というふうに、これからの話に自分が何を求めているのか、という会話の目的を、最初に伝えておきましょう。

④ 共感ファースト
相手の意見に同意できないことはいっぱいあります。夫婦も違う人間ですから、子育てでもお金のことでも、意見が分かれて当たり前です。そういうときに大切なのは、戦うのではなくて、同意はできなくても、まずは共感してみることです。

⑤ 感謝を伝える
「ありがとう」と声に出して、相手に感謝を伝えましょう。そのほかにも、「今、何かできることはある？」といった思いやりの声かけも大切です。

ですから、この5つのポイントを、「いやいや、無理無理」と言うのではなくて、実際にやってみて、小さな奇跡を積み重ねていってほしいと思います。

「ありがとう」で子どもの自己肯定感を育む

4つ目のポイントの「共感」に関する話として……社会学の枠組みで、公平感には「量的公平感」と「情緒的公平感」があります。要するに、**家事育児分担の割合が5対5であることで夫婦関係満足度が上がるという、「量的公平感」を重んじる夫婦と、割合は7対3でもいいから、話を聞いて共感してほしい、という「情緒的公平感」を求める夫婦がいるんです。**

このどちらを求めるかというのは、本当に人それぞれで、「家事育児の分担が公平じゃないとダメ。共感してもらう必要なんて全然ない」という人もいますし、「ありがとう」という言葉をかけてもらうことで、モヤモヤが晴れて気持ちがすっきりする人もいるんですよね。その両方を求めるけど、割合的には情緒的公平感を重視するという人もいますので、パートナーがどのタイプなのかを見極めて対応することも大事ですね。

熊野　「『共感』というワードは、アドラー心理学では非常に大事なポイントです。チャットに『自分は共感してもらおうとは思わない』という意見がありましたが、これは『共感』と『同意』を混同しているんじゃないかな。『共感する』ということは、自分の意見にagree(同意)してもらうことだと思っている人が多いのですが、『共感』に『同意』は必要ないんです。『共感』というのは、相手の目で見る、相手の耳で聴く、相手の心で感じる、というもので、自分の価値観や正義を脱ぎ捨てて、いったん相手に乗り移ってみる、ということなんですよ。よく男は共感はいらないとか、女は共感を求めるなんていう人がいますが、人間というのは、自分に関心をもってもらいたいし、自分が思っていることをわかってもらいたい生き物です。だから、共感が必要ないという人は、たぶんいないと思います」

「共感」についての体験談として……以前、私は兼業主婦だったのですが、5~6年前から仕事が忙しくなってきて、とくに週末は出張が多くなったので、家事を分担することにしたんですね。平日は私がやって、週末は夫が家事をやるという分担で。そうしたら、ワンオペで家事全般を経験したことで、夫の共感レベルがグッと上がったんですよね。今までは「大変だねぇ」なんて軽い感じで言っていたのが、「いやぁ、週末だけなのにマジで疲れた」と言うようになったんです。

今回のコロナ禍では夫婦ともに在宅勤務になったのですが、それを機に料理の分担を逆にしてみました。平日は夫がご飯をつくる、週末は私がつくる、というふうに。そうしたら、「献立を考えるのがつらい」「みんなが何を食べたいのかを考えるのが大変」と言うようになって……私も「でしょう！　そこなんだよね！」みたいな感じで、共感レベルがさらに数倍に上がったんですよ（笑）。

だから、「共感」も行動とセットでやるとレベルが上がりますよね。単に「大変だね」と言われても……何というか……嘘くさいですよね（笑）。今の共感レベルは、10年前に「大変だね、いつもありがとう」と言われたときよりも、重みがあります。

杉山　「これは『日本ほめる達人協会』で聞いた話なのですが、『ありがとう』に何かひとつ事実を付け加えることで、その質が上がるそうです。たとえば、『つくってくれてありがとう』とか、『これをやってくれてありがとう』とか……なかでも『眠いのにありがとう』という言葉が最強だという話でした」

熊野　「それは、ちゃんと相手に注目していないと、付けられないひと言だからですよ。相手が眠そうなようすに気づけたからこそ、言えるわけです。それくらい、相手

のことに注目するということは大事なことだし、逆に注目してもらうということも、すごく大事なことなんですよ。『共感』と『注目』って、ほとんど同じですからね」

チャットにいい意見がきていますね。「ごめんね」ではなくて「ありがとう」に言い換えるようにした――「やってくれてごめんね」と言っていたのを、「やってくれてありがとう」に言い換えるようにしたのかな。

ウチは私が仕事をしていることもあって、子どもがご飯をつくってくれたり、家のことをいろいろとやってくれたりします。そんなときも「ごめんね」ではなくて、「ありがとう」と言うことが大事ですよね。子どもは「家族の役に立てた」と思っているので、大好きなお父さんやお母さんから「ありがとう」と言われるのは、すごく大きいことなんですよ。**日本の子どもは自己肯定感が低いと、よく言われますが、子どもに「ありがとう」とちゃんと伝えることで、自己肯定感はかなり育まれると思います。**

杉山　『ありがとう』が自己肯定感や自己有用感、自尊感情につながっていくということですよね。これで前野先生の『日本の自己肯定感を下げる教育』という話とつながった感じがします。感謝のワークで育むという話もありましたからね」

そうですよね。自己肯定感が育めれば、いろいろな自信につながっていくと思います。そして、夫婦間でも職場でも同じことが言えますよね。「すみません」と言われると、そんなつもりはなくても、言われたほうに「やってやった感」みたいな勘違いが生まれがちです。「すみません」ではなくて、「ありがとうございます」と、お互い言い合うようにするだけでも、家族間や夫婦間、職場での関係はものすごく変わってくるなぁと思いますよね。

熊野　「『ごめんね』『すみません』というのは、あなたに迷惑をかけているという罪悪感の裏返しとして出てくる言葉ですよね。だけど、その罪悪感がそもそも（自己肯定感の低さからくる）妄想なので、『助けてくれてありがとう』と言えばいいだけの話なんですよ」

夫婦のコミュニケーションにも「場」が必要だ！

私が理事を務めるNPO法人ファザーリング・ジャパンのお父さん、お母さんが参加

するパートナーシップ・プロジェクトで、「夫婦の◯か条」のようなものをつくろうという話になり、いろいろと考えたんです。子どもが「あんな夫婦になりたいよね」と思ってほしいと考えたときに、パパとママが笑っているのが大事だよね、というところに行き着きました。そうしてできたのが、「子どもが憧れる笑顔の夫婦6か条」です。

〈子どもが憧れる笑顔の夫婦6か条〉

・恋人でいよう!
・個人でいよう!
・親友でいよう!
・戦友でいよう!
・味方でいよう!
・相方でいよう!

1つ目の「恋人でいよう!」は、そんなにラブラブな感じじゃなくてもいいから、パートナーに関心をもつということです。相手に目と心を向ける、それがスタート地点になります。

2つ目の「個人でいよう!」は、夫婦も個人だし、言わなくてもわかるという推測や憶測は、コミュニケーションにおいてはダメですよね。そうならないためには、相手が自分とは違う個人なんだということを、ちゃんと認識する必要があります。これは、対パートナーだけではなくて、対子どもにおいても同じです。そのうえで、自分と相手が違うから残念、と思うのではなく、違いも楽しんでいく。チャットには「夫婦が共通していない、違うとなかなか難しい」という意見がありましたが、違っていいんです。

あとは、1人でいる時間も大事です。私のやったアンケートでも、この自粛期間で「家族の距離が近すぎた」「個になりたい」という意見がたくさんありました。

3つ目の「親友でいよう！」は、お互いを尊敬し合う、という意味合いです。お互いに尊敬できるところを見つけて言い合ったり、いいライバル関係になったりする、リスペクトするという意味合いです。そのためには……親友どうしって、くだらない話もよくしますよね。そういう雑談も大事になってきます。

4つ目の「戦友でいよう！」は、今回のコロナ禍でみんなそうだったと思うし、日々の子育てもそうですが、人生のチャレンジを乗り越える、フォローし合うという意味です。ウチの場合は、子どもの学費を稼ぐという戦友です（笑）。ただ、自分たちだけで乗り越えるのが無理だったら、ほかの人を頼ることも大切です。

5つ目の「味方でいよう！」は、世の中のすべてが敵になっても、最後まで味方でいてくれる存在でありたいね、ということ。ヒーローものが好きなせいか、お父さんたち

は「これがいちばん好き」という人が多いです。

味方になるためには、まずは話を聞くこと。否定したり、評価したりする前に話を聞く、ということが大事。また、相手がよくない方向に行きそうなときには、止めるのも味方の役割です。「やりたい気持ちはわかるけど、そこはちょっと違うかな」とアサーティブに話していい。

6つ目の「相方でいよう！」は、お笑い芸人ではありませんが、「わっはっは」とお互いに笑い合えるネタをもつことです。同じ時間を過ごすことも大事なので、そのためのネタ……思い出であってもいいし、趣味でもいいのですが……そういうネタをもちつつ、2人で分かち合い、笑い合える関係が大事です。

気をつけてほしいのは、この6か条すべてをクリアしなければならない、ということではありません。戦友であることが大事な時期もあれば、個人であることが大事な時期もあります。夫婦の関係って、場所と時間とライフステージによって変わりますから、自分たちはこの6か条のうちのどれかな、と客観的に考えていくことが大事です。けっして「恋人でいられないから、私たち夫婦はもうダメだ」ということではありません。

杉山　「バックボーンとして、変化を受け入れる必要がありますよね。家族全員が今のまま、変化せずにいられるということは絶対にありませんから。そして変化を受け入れていくためには、相手のことをよく見て、コミュニケーションをとっていかなければなりませんよね」

そうですね。

ただ、ひとつ付け加えると……私たちの親世代は「スペシャリスト型夫婦」と言われていたんですよ。日本の場合だと、お父さんは働きに出てお金を稼ぐスペシャリスト、お母さんは家事担当というスペシャリストでした。このスペシャリスト型夫婦だと、コミュニケーションをあまりとらなくても、うまく運営していけるんです。

でも、今は「ジェネラリスト型夫婦」の時代だから、両方を補完できないといけない。かならずしも共働きをしなければいけない、というわけではないのですが、仕事や家事育児、教育、学校、地域とのかかわり、精神的な面も、お互いがお互いを補完できないといけないんです。仕事でも、互いに補完し合うチームをつくろうとすればするほど、コミュニケーションが重要になってきますよね。

だから、何が大事か、どうしたいかという本質的なことを、自粛が緩やかに解除されていくこのタイミングで……いっぱいいっぱいで、余裕がなかった時期から抜け出したこのタイミングで、たくさん話し合ってほしいですね。

杉山　「『べき論』としてわかりますが、夫婦でのコミュニケーションを始めるきっかけに悩む人も多いと思います。ウチにはできないよな、と感じている夫婦が一歩踏み出すためには、どうしたらいいでしょうか？」

コミュニケーションを始めるためには、まずは、話し合うきっかけとなる「場」をつくらなければいけないんですよね。

熊野　**「出た！　『場』をつくる——昨日と同じ結論が出たよ！」**

そうなんです。夫婦にも「場」は必要なんです。

そして、いきなり「じゃあ話し合おうか」と構えるのではなくて……お茶をしたりアイスクリームを食べたり、あるいはワインを飲みながらでも何でもいいので、雑談から始めるのがいい、と研修では話しています。

杉山　「自動的にコミュニケーションが始まることはない、ということですね」

はい。やっぱり、何らかの仕掛けは必要ですから、それぞれの家庭に合った仕掛けを見つけてほしいと思います。

コミュニケーションというのは、やっぱり「べき論」の部分が多いと思います。だけど、さっき「小さな奇跡」と言ったように、やってみると「なんだか自分でもできそう」と思えてくることもあります。行動が意識を変えますし、逆に、意識だけでは何も変わらないんです。

だから、「自分らしくないな」と思うことでも、まずはやってみることが大切です。

熊野　「それも『やってみよう因子』ですね」

「チームわが家」で不安を減らす

杉山　「では、第三夜のまとめの言葉を書いていただけますか？」

はい。前野先生と田中先生の話を聞いたうえで、今日、自分が何を伝えたいかと考え

ると、これになります。

個と場（ことば）

個人の大切さと、それをつなぐ「場」が重要だなと思ったんです。これから個人の価値観はどんどん多様化していくし、個人は何が本当にやりたいのかということを研ぎ澄ます必要があると思います。でも、それだけだと不安になるので、仲間との「場」が必要です。そして、その2つをつなぐのが「ことば（言葉）」です。

杉山　「結局、この3日間で、言っていることはほぼ同じところに集約されていきますよね。『できない』と言ったらそこで終わりだから、動かないとダメだよ、ということですよね」

熊野　「その繰り返しですよね。そして、自分で自分にかけている制限や、勝手な妄想を取っ払う必要があるけれど、それをひとりでやるのは難しいから、仲間が大切で、その仲間と言葉を交わす『場』も大切になってくる、ということですよね」

杉山　「最後に、林田さんがやっている連携型子育て『チームわが家』について教えてください」

「夫婦で家事育児をシェアしながらがんばろう！」と思っていても、なかなか難しいのが現実ですよね。お互いに余裕がないなかで夫婦２人だけですべてをやろうとすると、結局は押しつけ合いになってしまいます。

仕事に家庭に大忙しで余裕がない子育て夫婦が、うまく両立する最大のポイントは、夫婦２人だけでやろうとしないことです。家事育児を一緒に担ってくれる人に頼る、人に頼るのが苦手なら家電やアプリなどのツールを活用する。夫婦だけでは補えないところを周囲の「ヒト・コト・モノ」と連携することで、仕事と家庭を無理なく両立できる体制を構築する――それが、私が提唱する「チームわが家」です。

夫婦以外の戦力が増えることで、夫婦の押しつけ合いが減り、時間と気持ちに余裕が生まれます。できた余裕で家族の時間をもっとゆったりと楽しむことができます。この余裕の創出が「チームわが家」の目的なんです。

この「わが家」というのは、「拡大家族」という意味です。昔の「向こう三軒両隣」のような、長屋みたいなものを現代版でつくれたらいいな、ということなんですね。

今は核家族が多いし、隣近所との距離感も昔とは違っているので、昔みたいな近所付き合いは難しいかもしれません。だけど、自分たちだけはつらい。だから自分なりの長屋、つまり「拡大家族」をつくっていきましょうという提案なのですが、結局は、これも「場」なんですよね。

杉山　「そうか、『場』につながるんですね」

そうなんです。そして、子どもをいろいろな人と一緒に育むことにもつながるんです。

「チームわが家」の説明図

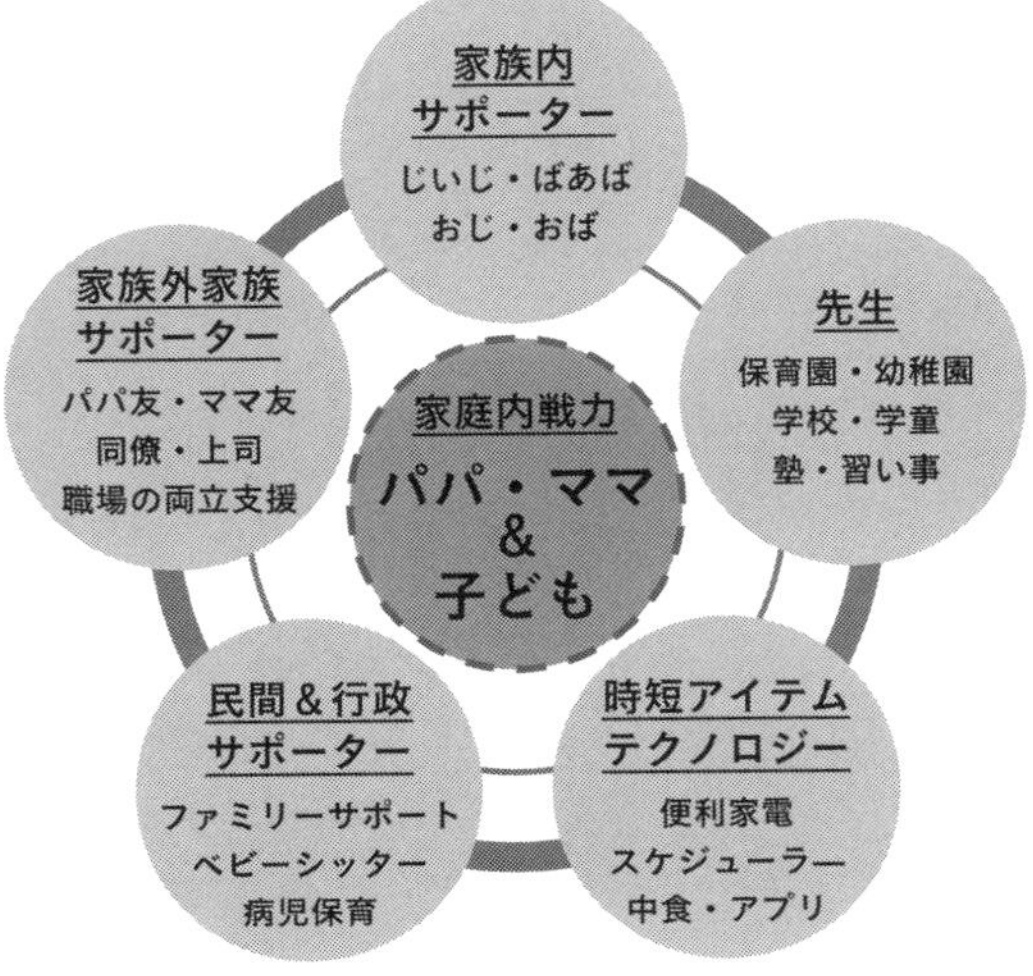

子どもたちが笑顔で、自分らしくいられる社会をつくりたい、というのが私の願いですから。

家族のあり方が仕事に振り回されるという話もありましたが、かかわった人みんなが「チームわが家」の関係者と考えると、仕事の相手も「チームわが家」の関係者なんです。ちゃんと要素として入っています。

そして、自分もだれかのサポーターになる、ということを、可能であれば意識してほしいと思います。なぜなら、7割が制約社員で、そういう人だらけだからです。

熊野　「今の話は、アドラー心理学で言えば、共同体感覚です。『自分さえよければいい』『自分の家だけよければいい』ではいけない。もちろん、自分や家族も大事だけど、近所の人たちはどうかな、会社の人でも……確かあの人の家は、最近子どもが生まれたんじゃなかったかな、といった感じで気にかける。ちょっと思いやりの心をもって、『何かできることある？』とひと声かけて、実際に助け合う、というのが共同体感覚なんです。これをお互いにやり合えば、助け合いができるんですよね」

安心が広がりますよね。子どもも安心だし親も安心……みんなで子育てをすることで、

「ウチの子だけ大丈夫かな?」みたいな不安が軽減されますよね。心配性の日本人には、大事なことだと思います。

　これは育児期の人だけに限った話ではありません。「チームわが家」は子育て向けなので、育児期の人を中心に話をしてきましたけど、子どものいない夫婦でも独身の人でも、同じように「チーム私」とか「チーム私たち」をつくって、だれかの助けを借りたり、だれかのサポーターになったりしてくれればいいと思います。

杉山　「最終的に『利他』に戻ってきましたね」

　結局は、そこですよね。

　今回の事態では、いろいろな制限がありましたが、それに耐えて、日本中、みんながんばりました。これからも制限のある状態は続きますが、がんばっていこうという感じですね。

第四夜
自分はどうする？

話し手

曹洞宗僧侶
藤田一照さん

〈5月28日〉

――ある視聴者の独白

頼まれたものを描くのが、私の仕事だ。世の中がこんな状況なのに、仕事は容赦なくやってくる。まあ、そのおかげで暮らしていけるわけでもあるし、息子の引っ越しでお金が出ていったタイミングだったので、正直なところ、本当に助かった。願わくば、もう少し楽に稼げる仕事だったら、もっとよかったとは思うけど。

「絵が好きですか?」と聞かれたら、だいたい「はい」と答えてきた。実際、けっして嫌いではない。たぶん、見たものをなんとなくそれっぽい絵にすることは得意で、それっぽく描けば描くほど、周りの人は喜んでくれた。面倒な勉強をしなくても、絵をそれっぽく描くだけで、なんだか評価を得ることができた。私にとって絵は、とても便利な存在だったのかもしれない。美術系の専門学校に行ってもそこそこ通用して、成績は悪くなかった。

でも、徹底的にできないこともわかった。

私は、自由に絵が描けない。

第四夜／自分はどうする？

［ある視聴者の独白］

ある先生から「なんでも好きなものを描いていい」と言われたときに、汗が止まらなかったことが忘れられない。もちろん、それまでも自由課題というものはやってきたけど、そのときに評価を得られそうなものはなんとなくわかったので、それっぽく描いた。本当の意味で、自由に描いていたわけではなかった。そのときも、なんとなく周りを見て、うまく合わせればよかったんだろうけど、なぜかうまくできなかった。

結局、何も描かずに提出した。

そうしたら、先生は何も言わずに受け取ってくれた。

その先生がやっていたイラストの仕事を手伝うようになり、独立を経て四半世紀。オファーとオーダーが明確なイラストの仕事は、私には向いていたんだと思う。

一人息子はこの春、大学を卒業して無事に巣立ってくれた。何がどう響いたのかはまったくわからないが、保育士になった。息子以外の子どもをほぼ受け付けない私に育てられたにもかかわらず。本当に、何が起こるかわからないものだと思う。

そもそも私がこうして今、普通に生きていることが不思議で仕方ない。結婚は向いていなかったからすぐにやめてしまい、ほとんどを母一人子一人でやってきた。定期的なお給料と呼ばれるものは手にしたことがなく、貯金をコツコツしてきたわけでもない。ただ、まとまったお金が必要なときに限って、大きな仕事が入る。でも大きな仕事が終わったとき、ピンチを乗り切ったとき、「次は本当に大丈夫なのか？」という不安に襲われることがある。

絵が得意だったこと、イラストの仕事に出会えたこと、そして息子が順調に巣立ってくれたこと。つくづく自分はついていると感じる。ただ、1人になった今、私は何のために仕事をするんだろう。次のピンチがやってきたときに、何が私をがんばらせてくれるんだろう。息子がいないせいか、いつもよりちょっと早く不安が襲ってきたらしい。

絵が好きですか？　という質問は楽だ。二択だから。本音かどうかは別として、答えればいいだけ。仕事においてもほとんどが二択。できますか？　と聞かれれば、「できる」「できない」のどちらか。私の場合、深く考えずに、だいたい「できる」と答えるのだが。直してください、も二択。最小限のコミュニケーションで済む。むしろ、できるだけシンプルに答えたほうが、事は順調に進む。今思えば、結婚もきっと「する」「しない」の二択を迫られたときに、深く考えずに「する」と言ってしまったな、と反省。

あなたは何が好きですか？

この場合、私はきっと「絵」とは答えないだろう。そして、おそらく笑ってごまかすだろう。じゃあ、今。正確にはこれから。好きでもない絵を描く必要はあるのだろうか？息子に迷惑をかけずに、一人で暮らしていくためには必要だ。でも、それが絵である必要はなく、稼げればいい。それならば、どこかの会社に入ってみるのも手かもしれない。人生の折り返し地点を迎えるタイミングで新しいことをするって、どうなんだろう。

やりたいことがないわけではない。本当は大好きなことがある。それは息子もきっと知らない。この仕事が終わったら、どうしようかな。焦ることはないか。それより目の前の仕事。それより少し息抜き、かな。

こんな私のことを気に入ってくれて、仕事を振ってくれるクライアントの女の子がいる。子どもがいるから、女の子というのはちょっと失礼かもしれないけど、私が適当に話すことを素直に聞いてくれる、珍しい女の子。最近どうも悩んでいるみたいだから、息子から勧められたおもしろそうなイベントを教えてみた。彼女に勧めたからには、私も参加してみよう。しかし、彼女、子どもが小さいから、この時間大丈夫かな？

息子が小さかったはるか昔の記憶をたどりながら、じつは私も初めてのオンラインイベントとやらに参加してみることにした。

小手先の解決法が通じない時代になった

熊野　「第四夜のゲストは曹洞宗僧侶の藤田一照さんです。今日のテーマは『自分はどうする?』です」

そういう問いかけは、今の新型コロナ禍の状況だからとくに向き合わなければならない、というのではなく、本来コロナがあろうがなかろうが、つねに問いかけ続けるべき大事な問題です。What am I really going to do right now? というのは、人から問われるものではなくて、自分で自分に問うものです。

コロナが引き起こした大きな問いかけ、というよりも、今まで対症療法的に、絆創膏《ばんそうこう》を貼るような、小手先の手段で覆っていたほころびが、今回のコロナ事態でとうとう隠しきれなくなって、そういう問いに直面せざるをえなくなった、と言ったほうがいいでしょう。脆弱《ぜいじゃく》な部分が露呈しただけでなく、すっかり見落としていた盲点や、解決の努力を疎《おろそ》かにしてきた問題に、否応なくスポットライトが当てられてしまった、というふうに、僕は今回の状況を見ています。

これは、コロナパンデミックに限らず、ローカルな一事件として封じ込めることができないこと——たとえば戦争や大恐慌といったことが起きれば、同じように起きたであろう事態ですよね。僕は、いつかそういうことが起きるだろうという気がしていましたし、じつは起きてほしいと思う部分もありました。そういうことでも起きないと、われわれはこの問いかけに目覚めないからです。

今までのわれわれは、根本的な問題があったとしても、1人や2人が大きな声を出したところで、「ここだけをチョイチョイと直せば済むじゃないか」といった、小手先の解決法で間に合わせようとしてきました。本質的な問いかけをせずに。僕には、あの未曽有の大災害であった東日本大震災ですら、そういう対症療法的な解決法で済ませてしまったんじゃないか、という思いがありました。

そういう根本的な問題を、本質的なところで解決するためには、「衆知を集める」必要があると思います。少数の専門家や1つの学問領域だけでは解決できない、さまざまな要因が複雑に有機的に絡まった、根本的な問題ばかりですからね。

こういうZoomみたいなツールを最大限に駆使して、官僚的な、事務的な、非効率な手続きを省いて、より本質的なことをストレートに、虚心坦懐《きょしんたんかい》に話す、クリエイティ

ブな「場」というものをつくって、多様な知恵を持ち寄るということが、今はすごく大事だと思います。

これまでは、こういうことを言っても、「ローカルな連中が何か言っているなぁ」という感じで黙殺されてきたのですが、今の状況であれば、もっと水平的な広がりで賛同を得られるのではないかな、と思っています。好機として生かさなければなりません。

熊野 「今は、日本だけではなく、全世界が共通のテーマと向き合っているので……。こんなことがない限り、なかなかできないことですよね」

みんなにとって、文字どおり初めての経験ですからね。すべての人が初心者になってしまった。

僕は今年（2020年）で6年目になる、若い世代のための仏教塾というものをやっていますが、今年4月からの塾のテーマは「初心の技術」でした。これは、コロナの前から決めていたテーマですが、今われわれは、それこそ初心で取り組まなければいけない事態に追い込まれているわけですから、タイムリーといえばタイムリーでしたね。本当に偶然なのですが、ずっと三密でやってきた塾も、今回はオンラインに切り替えてやっています。

僕はオンラインで何かをやるのは初めてではなくて、じつは2017年に「オンラインのお寺」というものをつくっていました。インターネットを大きな情報源としている若い世代の人たちに仏教を届けるために、オンラインサロンというシステムを使って、オンライン上にお寺を建てたんです。

杉山　「アメリカで禅を教えていらっしゃったこともあるそうですが、そうやって新しいものを取り入れる素養というか……『とにかくやってみよう』という感じで、すぐに動き出せるのは、昔からだったんですか？」

そうですね。僕はどうも、そういうおもしろそうなことは、とにかくまずやってみよう、という性分のようです。アメリカに行ったのも、使命感というよりは、おもしろそうだったからで（笑）。とにかくワクワクする方向、いいにおいのする方向に鼻が利いて行ってしまう、というのは、昔からありましたね。

おもしろそうなことには、とりあえず首を突っ込んでみます。第一夜の前野（隆司）先生に以前お会いしたときには、「幸せの因子のうちの『やってみよう因子』が飛び抜けていますね」なんて言われました。当たっています（笑）。

熊野　『やってみよう因子』は今回のキーワードですよね。ワクワクする方向、いいにおいのする方向に行ってしまうという一照さんの話は、ヒントになるんじゃないかな」

でも、まずはワクワクできるエネルギーを内側にもっていないとダメですよね。

時々、「ワクワクって、どんなものですか？」と聞いてくる人がいるんですよ。そんなときは、「それを説明することに、僕はワクワクしないんですけど……」と答えています（笑）。考える前になんとなくワクワクしちゃうのが本当のワクワクで、説明を聞いたからってワクワクするものではないですよね。人に聞いて、無理やり起こすワクワクなんて似非《えせ》ワクワクで、本物ではないですもん。

そういう人たちは、ワクワクとは別の基準で動いているんだと思いますよ。正しいか正しくないかとか、ウケるかウケないかとか、成功するか成功しないかといった基準でね。いろいろなタイプの人がいるので、それはそれでいいと思いますけど。

僕の場合は、ワクワクするかしないかという判断基準を、優先順位のかなり高い部分に置いていています。正しいかどうかといった基準は、僕の中では2番目とか3番目とか……いや、4番目くらいにきちゃうかな（笑）。自分の魂がおもしろがることを、とにかくやってみることです。

自分の身心に素直に聞いていくと、調《ととの》った坐《ざ》禅《ぜん》になる

熊野　「新型コロナでますます世の中が不安定になっていくなか、『これから先の数十年、自分はどうしていこう？』と、みんな考えていると思うんですよ。自分の人生に思考が向き始めた僕たちに対して……ずっとそういうことに向き合ってきたであろう一照さんは、どう考えますか？」

確かに、今回のコロナ禍で、いろいろと考えるようになった人が増えましたよね。当たり前だと思ってきたことを、考え直さなくてはいけなくなった。

自粛要請が出たのは、われわれには稀有《けう》の経験だったと思います。ステイホームしなければならない、病気でもないのに家から出られない、という状況は、めったにありませんから。

だから、みんな最初は出たいのを我慢していたんだろうけど、2週間、3週間とたつうちに、だんだんと目が自分の内側に向いてきた人、嫌でも自分のあり方に関心が向い

た人が多いと思うんです。普段は胸の奥のほうにあって……かすかな声は出ていたのでしょうが、忙しいし周りの騒音でかき消されているから気がつかなかったような、「おまえは本当は何がしたいの？」「おまえは本当にこれでいいのか？」といった内心のささやき声が、家で自粛していることで聞こえるようになっちゃった人が、けっこういるんじゃないかなと思うんです。

これは軽視できない変化だと思っています。僕は、そういう内なる問いかけ……自分の中から思いがけず聞こえてくる根本的な問いかけが、いわゆる宗教心というものだと思っています。

そして、僕にとってワクワクさせてくれるものというのは、そういう問いを刺激してくれるような場所や状況なんです。

それはかならずしも、もろに宗教的なものでなくてもいいんです。僕の場合は、渡米して林の中の禅堂で暮らすということが……ほかの人たちは危ないからって止めたんですけど……おもしろいな、ワクワクするなと感じることだったんですよ。

逆に言うと、まったくの初心者として直面しなくてはならないような状況、さらに言えば、「気を抜いているとヤバイ」という場所や状況に、たまには自分の身を置いてみるのがいいんじゃないかな、と考えているんです。そうなると、ワクワクというより、ハラハラドキドキですかね。

生き物は「廃用性萎縮《はいようせいいしゅく》」といって、使わない能力は萎縮していきます。それは、身体だけではなく、心も同じです。あまりに強いストレスにさらされると潰れてしまいますが、適度なチャレンジをやめてしまうと、安逸に慣れてしまって、身心ともに廃用性萎縮を起こしてしまうようにできていると思うんですよ。体がなまるように、心もなまってしまうんです。

だから、時々自分をリニューアルするための、適度なチャレンジをしたほうがいい。自分の置かれている状況をリニューアルする。自覚的に刷新する。新しい風に吹かれてみる。

熊野　「刺激を与えるということですか？」

刺激というよりも、セーフティゾーンから一歩踏み出す、よりチャレンジングな方向に歩を進める、という感じですね。そういう状況の変化をポジティブに受け止められる人は、それにワクワクして、「おもしろそうだぞ」と思うわけですよ。

でも、最近の若い人は……あまり世代論に固執したくはないのですが、どんどん「失敗しないように、失敗しないように」という方向に向かっているように見えます。安全《あんぜん》

牌《ぱい》ばかり引こうとする。でもそれは、要するに身心の廃用性萎縮に向かうことになるわけです。

熊野「今の話は、アドラー心理学では『勇気がくじかれた状態』と言います。チャレンジをしてみたいけど、『失敗したらどうしよう』と思って、チャレンジをやめてしまう。勇気がくじかれた状態が長く続くと、一照さんがおっしゃった心の廃用性萎縮になって、ワクワクする気持ちもなくなっていっちゃいますよね」

そうですよね。そうならないためにも、自分の中から聞こえてくる問いかけの声を聞き逃さないほうがいい。僕の場合は、そういう声にしたがって、禅の世界に身を投じたり、アメリカの坐禅堂で暮らしたりしたわけです。

ここで少し僕の個人的な話をすると、もともとは大学の博士課程で発達心理学を専攻していました。でも、学べば学ぶほど、つねに科学的でなくてはいけないという部分が、自分の中で邪魔になってきて、研究にワクワクしなくなっちゃったんです。熱が冷め始めているのがわかっちゃったんです。

そこで、ワクワクさせられるものを探っていたら、偶然のようにして禅に出会い、

第四夜／自分はどうする？

［藤田一照さん］

「こっちのほうが絶対におもしろそうだ」と思って、大学院を中退しました。

もちろん両親をはじめ、それを止める人たちもいましたが、僕にとってはおもしろいと感じることをやって、いちど限りの自分の人生を生きていきたかったので、そうせざるをえなかったんです。

ほかの人がどう思うか、ということよりも、まずは自分の中で燃えている火みたいなものにアクセスすることのほうが、はるかに大事なことだと思います。どんな人にも、そういう火のようなものがあるんです。だからこそ、生命が続いているんだと思います。

でも、今の社会は「成功の道」のようなものを非常に幅の狭いものに設定していて、その一本道から外れたら即失敗で、負け組になる——そういう道から外れることに対して恐怖を与える仕組みを巧妙につくっていて、人に一生懸命受験勉強をさせたり、モーレツに仕事をさせたりする時代が、ずっと続いてきました。「人生は戦争のようなもので、それに勝たなきゃいけない」というイメージです。

幼いころからこの道を外れないように、外れないように、という感じで育っていくうちに、自分が本当にやりたいことは何なのか、ということがわからなくなってしまったと思うんですよ。自分が何をしたいのかを、人に聞かなければならなくなってしまった。

僕は坐禅の話をするときに、自分の身体が何をしたいか、心がどうしたいか、ということを自分の身心に聞いていったら、姿勢も呼吸も心も自然に調っていく、と教えているんです。

ほかの人から「これがよい姿勢ですよ」というモデルを提示されて、そのモデルとそっくり同じになるように、鏡を見ながら肩の角度なんかを計って、見本に合わせるようにしてできた姿勢と、自分の身体がどうしたいかということを自分自身に聞いていって、気持ちのいい形を探した結果としてできた姿勢って、まったく意味が異なりますよね。外から見たら、同じように坐《すわ》っているように見えるかもしれませんが、当人としては、嫌々苦行をやっていて早くやめたいのと、気持ちよくて楽しいからもっと続けたい、というくらいの違いがあります。

人生も同じです。その仕事やその職場にいるのが楽しくてやっているのか、苦しいけど我慢してやっているのかでは、パフォーマンスが全然違ってきますよね。

熊野　「一照さんは巧みに『スラックライン』をやってみたり……身体にすごく意識を向けているなぁ、と感じていたのですが、そこにはどんな理由があるんですか？」

単純に、身体が自分だからですよ。

杉山　「身体が自分……ですか？」

そう。みなさん「自分」というと、脳の中の意識だと思っているけど、じゃあ、眠っているときは自分じゃないの？　ということを考えると、矛盾しますよね。
眠っているときには、意識は休んでいるわけですが、そのときの自分は自分じゃないのかというと、そんなことはありません。意識している自分よりも広い自分、眠っていてもずっと続いている、もっと確かな自分というものがあるんですよ。
「自分はどうする？」という質問に接したとき、そもそも、その「自分」というものをどのくらいのサイズで考えているか、ということが、逆に問われなければいけない。空間的なサイズも、時間的なサイズも……。

杉山　「時間的なサイズ、ですか？」

ええ。昼間だけ存在している自分というのは自分の一部でしかない、ということはわかりますよね。夜中も存在していないと自分ではないわけですから。自分というものは、昼も夜も存在している――これが「自分」の時間的なサイズです。

空間的なサイズで言うと、環境も自分の身体だということです。

熊野　「環境も、ですか？」

そうです。自分を取り巻く環境、世界も、自分の身体なんです。たとえば、今、新型コロナのパンデミックという状況が世界にあるわけですけど、それは僕の環境の中、僕の身体の中の出来事なんですよ。

つまり、皮膚の内側だけが自分だと思っているかもしれませんが、皮膚は自分とそれ以外を分ける壁ではありません。いろいろなものが出たり入ったりしています。ウイルスのような極小のものは、簡単にスカスカと入ってきちゃうでしょう。空気だって入ってくるし、重力は身体を貫いて作用しているわけです。だから、重力も僕の一部なんですよ。

杉山　「『重力も僕の一部』！　すごいワードが出た！」

今、僕はこうやって坐っていますけど、床や地面がないと坐れません。だから、僕は地球も自分の身体の一部にしている、ということになります。

さらに言えば、地球もただ浮いているわけではなくて、太陽の引力など、全宇宙で働いている力のバランスの中で、そこに置かれているわけですから、自分の身体の空間的なサイズは、そこまで広げられるわけです。

これは神秘体験などではなく、ちょっと物理学を学んでいればわかることですよ。

自分は全宇宙ごと生まれてきて、全宇宙ごと消えていく

今回のコロナ禍は多くの人にとって、自分が本当は何をしたいのか、ということを考え直すチャンスではありましたよね。

たとえば、社会生活のなかで、仕事をしたり子育てをしたりということは当然必要ですけど、その底には「何のためにそれをやるの？」という問いが、つねにある。「自分という存在」からの問いです。

起きているときも眠っているときも、ずっと「自分というものをやっている自分」がいて、起きているときにあれこれとやっている自分を「自分という存在」はやさしく見守ってくれているんですけど、ふとしたときに、その「自分という存在」の声が聞こえ

ることがあるんです。起きているときの自分はそれでいいかもしれないけど、眠っているときの自分はそれでいいの？　と問われるような声が……。

　コロナ禍でスローダウンした生活をして、そんな声が聞こえてきませんでしたか？

　その声の聞こえ方は、ひとりひとり違うものです。だれかが自分の人生を代わってくれるわけはないのですから、それに関しては、ほかの人に何を言われようが関係ないんです。自分は自分でしかいられないんですから。

　ほかの人との関係を切れ、という意味ではありませんよ。でも、自分とほかの人はまったく違うあり方をしているんです。

　人間はみんな似たような形の身体をしていますよね。頭があって顔があって胴体があって……そういう似たような身体がそこら中にありますけど、それらを片っ端から殴っても、本当に痛いのは、この自分の身体だけですよね。自分の身体と他の人の身体は、そのくらい違う。だから当然、人生もそのくらい違うんです。現に生きられる人生というのは、この僕の人生しかないんです。

熊野　「今の、殴られて痛いのは自分の身体だけ、というのは、わかりやすいたとえですね。一方、自分というのはこの身体だけが自分というわけではなく、環境も自分という話もありました。この2つをどう考えたらいいのでしょうか？」

「殴られて痛い身体はこの自分の身体しかない」というのは、じつは『〈仏教3・0〉を哲学する』（春秋社）という鼎談《ていだん》本でご一緒させていただいた、哲学者の永井均先生がおっしゃっていた表現です。

永井先生は「現に見えている世界はこの目、自分の目からしか見えない」とも言っています。これはつまり、僕という存在は世界ぐるみ、全宇宙ぐるみのもの、僕の身体と環境ぐるみで僕なんです。世界は僕の中身だということです。

僕という存在は、熊野さんのそれとは違うんですよ。熊野さんは、熊野さんの身体と環境ぐるみで熊野さんという存在なんです。僕はこちらから熊野さんを見ているし、熊野さんはそちらから僕を見ていますよね。

つまり、ひとりひとりがそれぞれの全宇宙をもって、共同して存在しています。あらかじめ世界という共通の客観的容《い》れ物《もの》があって、その中であるとき生まれ、育って、いつか死んでいった後もその世界という容れ物が残っている、というものではないんです。それは、後から頭の中で構成された世界の見方でしかなくて、自分の生の体験としては、**僕は全宇宙ごと生まれてきて、全宇宙ごと消えていくんです。**仏教の基礎教学である唯識などでは「一人一宇宙」という表現があります。

杉山「ああ、そうか！　自分の見ている世界は一つ、ということですね」

そうです。本当は自分の目から見ている世界しかないのに、僕らは思考を働かせることで、それとは独立の世界がまずあって、みんなで一緒にそれを見ているかのように思っているんですよ。起きているときにはね。

でも、眠っているときはどうでしょうか？

こういうふうに、自分は全宇宙ごと生まれて、生きて、消えていく、自分の中身が世界なんだ、という考え方に軸足を移せば、自然と身体は動き出すはずなんです。だって、こんなことはめちゃくちゃ不思議だから、心底驚かざるをえません。こういうことに、まず驚かなきゃいけないはずですよ。

たとえば赤ちゃんは、生まれた後に、地球の大気に合わせて肺をつくっていくわけではないですよね。生まれたときには、もうすでに大気の組成というものを知っているかのように、初めての呼吸をする。骨も重力加速度を知っているかのように、地球の重力に耐えられる骨格ができていて、少しもビビることなく、胎内から出てくるんです。人は受胎したときすでに、将来住むことになる大気の組成や重力の強さを知っていて、そういう世界を最初から想定しているんです。

そう考えると、じつに不思議でしょう。まずは、こういう当たり前の事実の不思議さに、心底びっくりしないといけない。そういうことに驚ける知性をもたないといけないんです。

熊野　「幼児教育でよく使われる『センス・オブ・ワンダー』という言葉は、たとえば、葉っぱを見ただけでも『わーっ！』と言って、いろいろなことを感じる力、遊びから何かを発見する力のことです。保育園の運営に携わっている身として、そこをもっと突き詰めていかないといけないな、と感じています」

仏教の修行というのは、大人になる間にスレてしまった（笑）、そういう繊細で柔らかい感性や知性……じつは感性も知性もひとつだと、僕は思っているので……「感じる知性」を、もういちど、就学以前のレベルに戻すことだと思うんです。

子どものような感じる知性をもって、成熟した大人として生きること。

僕は、大人になればなるほど、じつは子どもらしくならないといけないと思っています。それが禅で大事にする初心、あるいは無心という状態なんです。

「熱いハート」と「冷静な頭」で動け

杉山　「『ほかの人は関係ない、自分は自分だ』と思って動くことが大事だということはわかりました。でも、何かをしようとすると攻撃を受けたり、阻もうとする力が働いたりしますよね。リモートワークを経験してこっちのほうが自分には合っている、と思う人がいても、会社の方針が『元に戻る』なら、それに従うしかない。そういう場合はどうしたらいいのでしょうか？」

まずは、自分のやりたいこと――理屈抜きの情熱みたいな熱量――がありますよね。知能や知性（インテリジェンス）というものは、そのやりたいことをうまく実現させるためにこそ、働かせるべきものです。

この、知略を巡らせるために働かせるインテリジェンスを、僕は「マインド」と呼んでいます。このマインドは、現状を分析したり、将来を予測したり、過去のデータから最適解を導き出したりという、マネージャーのような働きをしています。

でも、人間はそれだけで生きているわけではなくて、胸の奥に「ハート」というものがあるんです。「どうしても俺はこれをやりたい！」というパッション、さっき言った、心の中の火、熱量のようなものです。

この2つの関係は、「熱いハート」と「冷静な頭（マインド）」でなければならない。まず熱いハートがあって、そのハートが向かおうとする、自分のやりたいことを、冷静な頭が……マネージャーにあたるマインドが、知識や知恵を総動員して、戦略を考えて実現させる。マインドはそういう使い方をしないといけないんです。

ところが、自分のやりたいことを封じ込めるために、マインドを使っている人がいます。「冷めたハート」と「熱く、のぼせた頭（マインド）」になっちゃっている人が多いんです。「これをやったら、きっとこういう障害があるだろうな」というシミュレーションをして、「やっぱり無理だ」とか「やめておこう」という結論に導いてしまう。

これでは、さっき言った廃用性萎縮に陥りますよね。

そういう思考方法を改めて、マインドを「やりたいことを上手にやるにはどうすればいいか」ということを考える、本来の役割に戻してあげることが、ひとつの解決策だと思います。ハートがやる仕事まで、マインドでやろうとしている人が多いのではないですか。人を好きになるのは、理屈抜きのハートで感じることなのに、損得勘定のマインドで好きだと考えようとする、とか……。

もうひとつは、同じような情熱や熱量をもっている人と仲間になって、協同して事に当たるという方法もあると思います。1人じゃなかなか難しいですからね。
人間はそのためにこそ言葉をもっているんじゃないのかなぁ。「おまえはあっちを解決してよ、俺はこっちを説得するから」と協同するためにこそある。それなのに、お互いが足を引っ張ったり、傷つけ合ったりするために言葉を使っていないか――。

熊野　「おおっ！　ここで『仲間』と『言葉』のキーワードが出てきましたよ！」

自分が何をやりたいのか、といったハートの声……僕は「ハートボイス」と呼んでいますが、頭（マインド）はハートボイスを繊細に聞くためにも使わなければいけません。さっき言ったように、頭は戦略を考えるために働かせる……卑近な言い方をすれば、「うまいことやる」ために働かせるものですが、「うまいことやって、それで要するに『何をしたい』のか？」が大事なんです。
たとえば、何のために勉強しているのか、何のためにお金をためているのか。もっと突き詰めれば、勉強して何がしたいのか、お金をためるために働いているのか、たまったお金をどうするのか、といったことですよね。

地位も同じです。高い地位を手に入れてどうするの？　単なる自己顕示や自己満足のためなのか、それとも？

そういった問いを突き詰めていけば、「本当は別にやりたいことがあるんじゃないの？」「勉強やお金はそのための手段じゃなかったの？」という声、「ハートボイス」に行きつきますよね。

それと、大事な心得として、そんなに世の中はスイスイとうまくいかない、ということがあります。なぜなら、さっき言ったように「一人一宇宙」で、ほかの人は自分とはまったく違う人たちだから。そんなに簡単にはいきません。「思いどおりにならないのが人生だ」というのが、仏教の教えのひとつですからね。

でも思いどおりにならなかったときに、腐ったり憂鬱になったりするのではなく、「じゃあ、どうしたらいいのか」と考えて、自分の足で立ち上がることが必要なんです。そういうときに「立ち上がったほうがおもしろいよ」と言ったのがブッダなんですよ（笑）。

「あなたはどうしたいの？」

熊野「視聴者からの質問です。身体を意識することを、先進国の人ほど置き去りにしてきた気がしています。でも、今回のコロナで、みんなが身体を意識せざるをえない状況になって、『心は身体であって、身体と心は一体である』ということをコロナが教えてくれたのかな、とも思いますが、どう思いますか？」

同感ですね。ただ、身体を意識するというのは、じつはなかなか難しいものです。さっきも言いましたが、仏教には「唯識」という考え方があります。唯識の中で、僕らは五感を通して認識する眼識、耳識、鼻識、舌識、身識と、心理学の研究対象である意識（心）の6つ——六識までしか知らないんです。
でも、仏教ではこのほかにも七識、八識まで考えていて、普通の意識ではここにはアクセスできません。とくに、8番目の識は「阿頼耶識《あらやしき》」という名前がついていて、これが僕の言う身体なんです。「身体が自分だ」と言ったのはそういう意味で、身体という識があるんですよ。変な言い方になりますが。

ほかの六識が眠っていても、阿頼耶識は働き続けています。そして、この八識すべてで自分という存在なんです。その中には全宇宙も入っています。

だから、普段「オレオレ」と思っているものよりも、自分という存在はもっと深い部分まであるんです。水平面ばかり気にしている、普段の視点では見えないけど、坐禅を組んでいると、存在の深層という垂直面に目が向くんですよ。

その深い部分の洞察にもとづいて、上の部分の働きを見られるようになります。そういうふうに、自分という存在を深く大きくとらえたときに初めて、時間的・空間的な広がりのある自分が、自分としてこの場にいる、という不思議に驚くんです。私が私であるということの不思議さ、です。


そのうえで、そんな自分という存在をどうするか、こういう自分がどうすればいちばん喜ぶか、という配慮、ケアをしてあげなきゃいけないんですね。そのサイズの自分を大事にケアしてあげないといけない。ここでは、自分のケアと世界のケアがひとつになっています。

今回のコロナ禍みたいな状況に置かれたからやるものではなくて、コロナがこようがこまいが、こういうことは普段から考えておくべきことなんですよ。広がりのある自分

をケアしてあげる覚悟や心構えを、普段からもっていなければいけないんです。年をとってからでも遅くはありませんが、限られた人生なのですから、なるべく早いうちに、深くて広い人生観をもって、仕事やパートナーシップなどに取り組んでほしいですね。

熊野 「今は、コロナでいろいろな変化が出てきていて、『変わるときだ』というチャンスである一方で、コロナ収束後は『喉元過ぎれば熱さを忘れる』といった感じで、また元に戻ってしまうんじゃないかという懸念がある――といった趣旨の質問が、いくつもきています」

元に戻りたい人は戻ればいいし、元に戻りたくない人は戻らない、人それぞれでいいんじゃないですかね。

そういうことをひとりひとりが選択して、歴史はできていくわけですから、全員が右向け右のように、同じようにする必要はないんですよ。いずれにせよ、そんなことにはならないでしょうし。

この問いに禅的に答えるとすれば、「そういう質問をするあなたはどうしたいの?」という問いかけになりますね。今日のテーマでもある「自分はどうする?」というやつですよ。

熊野　「鳥肌が立ちました！　ここにきて『自分はどうする？』という言葉が出ましたよ！」

「そんなことは俺に聞く問題じゃねぇ。俺は俺でやっているから、おまえはおまえ自身に聞け」ということですよ（笑）。身も蓋もない回答ですみませんね。

杉山　「その、自分自身への聞き方というのはあるんですか？」

ただひとりになってみること、そして静かになること、ですかね。そうしたら嫌でも、声が聞こえてきますよ。

真逆の方法もあります。最初のほう（131ページ）で話しましたが、状況をリニューアルすることです。

どちらの方法も、今まで自分が適応してきた場所から離れるという点で同じなんですよ。要するに、今までの自分のパターンとは違う、今までの自分では手に負えないところに身を置くというのが、自分を知るきっかけがいちばん多くなるんです。周りとのや

り取りから身を引いて、ひとりで静かに自分の声を聞くのか、これまでの自分のやり方ではうまくこなせるかどうかわからない、チャレンジングな場に身を置くのか、というやり方の違いです。

僕の坐禅の本は「すべての不幸の原因は、部屋で一人静かに休んでいられないことにある」という、パスカルの『パンセ』に書いてある一文の引用から始まっているんです。今回のステイホームで、「部屋で静かに休んでいられない自分」を見てしまった人は多いと思いますが、それは、自分にとって自分がアットホームではないからなんですよ。

熊野　「アットホームではない？」

「ステイホーム」という言葉で小池（百合子）都知事が伝えたかったのは「ステイ・イン・ザ・ハウス」という意味でしょう？　物質的な意味での「ハウス」にいろ、そこから外に出ないでくれ、ということですよね。

でも「ホーム」という言葉にはもっと宗教的な……存在の故郷、心のふるさと、といった意味があるんですよ。自分の魂が落ち着ける居場所みたいなものですね。それがわからない人に「ステイホーム」と言っても、「ホームってどこにあるの？」となっちゃいますよ。

だから、小池さんたちの言っていた「ステイホーム」という要請は、宗教的な要請でもあったと思いますよ。「おまえは本当のホームをもっているのか？」「それを探しなさい」という意味でね（笑）。

熊野　「今回、ものすごい数の人たちがいっせいに『ステイ・イン・ザ・ハウス』して、そのときに『そこにホームはあるのか』という確認をした。これは、とんでもない社会実験ですね！」

そうですね。今回のコロナ禍は社会実験でもあるけど、きわめて宗教的な状況ともいえるものですよ（笑）。

子どもたちのハートの火を消すな

杉山　「自分の声を聞くということに、なるべく早いうちに気づいてほしいとのことですが、そういうことを子どもに教えるには、どうしたらいいんですか？」

僕が今日話したことを、そのまま子どもたちに話しても、何も伝わらないですよ。うるさいジジイだと思われるだけですね（笑）。子どもって本来、自分の声を聞いて生きているものですからね。よけいなお世話でしょうね。
これはむしろ、大人の問題です。周りの大人が、自分の声を聞いて生きるということを体現していればいいんですよ。

杉山「そ、そうですか」

別に説教なんかして教えなくてもいいと思うんです。それを応援するための原材料みたいなものを、子どもたちの周りにちりばめる感じでいいんです。原材料、マテリアルのようなものを、普段の生活体験をとおして、子どもたちのハートのポケットにいっぱい蓄えていく、ということですよ。
子どもたちって、とくに小さな子は言語でフィルターをかけることはしないけど、ハートのポケットには、いろいろなものがどんどん入っていきます。それは大人がプライミング（前もって教え込むこと）できるものではありません。僕らだって、学校の先生が一生懸命準備した授業内容より、なにげなく、ちらっと言ったことのほうがハートに入ってきませんでしたか？

だから、ハートのポケットに入る栄養を、なるべく多くしてあげることもひとつの手かな、と思いますが、そういう栄養は、じつは都会よりも、森や海などの自然の中のほうが多いんですよ。なぜなら、自然の中には言語化できないものがいっぱいあるから。

都会のほうが栄養が多そうに見えますが、人間が計画したものだから、意外と単純です。ビルは直線でできているし、どんなものにも「信号」とか「横断歩道」とか名前がついていているでしょう。要するに、わかっているものばかりなので、頭は都会という環境をなめてしまうんですよ。感覚器官が怠惰になっている。

ところが、自然は刻々と変化するし、複雑怪奇なものだから、そういう場所に行くと、人間の感覚は喜ぶんです。

だから子どもたちの教育も、綿密に計画を立てて、プランどおりに計画をこなすということばかりやっているよりも、ハプニングの連続みたいな場合のほうが、ハートのポケットには、よりリッチなものが入っていくんです。プランどおりだと、マインドにはいろいろ入るかもしれないけど、ハートにはあまり何も残らないような気がします。

現在の教育は、マインドに情報を詰め込むばかりで、子どもたちのハートの火を消すような教育になっているんじゃないか、という心配があります。頭だけではなくてハートというものがあるということを、教育者は心に留めておいたほうがいいと思いますね。

「社会に適応する」のではなく

熊野　「では、第四夜のまとめの言葉を出してもらいましょう。現時点で伝えたいメッセージを書いていただけますか？」

はい。書けましたよ。

自分の深淵《しんえん》をのぞけ！

深淵というのは底が見えないんです。底が見えないのが深淵。だから、のぞいてみないと深淵なのかどうかは、わからないんですね。そして深淵だとわかっても底が見えないから、すべてを見届けることはできない。そういう深淵が自分の中にはあるんです。

迷ったときに、人はその問題を頭で考えようとするんです。だから答えを選べない。普段から自分の中の深淵をのぞくことをやっておく、あるいは深淵があるということをわかっていれば、迷ったときに、その深淵から答えが出てくるんですよ。

熊野　「この話を聞いた多くの人は『深淵をのぞく』ということを頭で考え始めそうですが、身体でわかるためには、どうすればいいでしょうか？」

たとえば、呼吸をするときには、ふーっと息を吐いて、その後に息を吸いますよね。その息を吐き終わってから次の息を吸うまでの間には、息が止まっている瞬間がありま す。あれは、息の深淵なんですよ。

息を吐いた後、次の息が入ってこなかったら死んじゃうわけですよね。だから、息を吐いた後というのは一種の死のようなもので、次の息が入ってくることで、また蘇生《そせい》する。焦って次の息をひゅーって吸わないようにして、自分の身体が自然に息を吸うまでゆっくり待っていればいいんです。かならず息は入ってきますから。そのときに、息の死と生の間を見ているんですよ。

これは「吐き終わった後の息の間隙を見よ」という行法のひとつで、吐き終わった後の息の間を見ていると、深淵から風が吹いてきて、次の息がすーっと入ってくる感じに

なるんです。
深淵をのぞくということは、底が見えないものをじーっと油断なく見るということですが、この行法はその練習でもあるんですよ。これをやっていると、息と息の間は本当に深淵だなぁということがわかってきます。

ほかにも、ある考えが浮かんだ後にそれがふっと消えて、次の考えが浮かんできたりしますよね。この、最初の考えと次の考えの間も深淵ですよ。
深淵は、何かと何かの間（あいだ）にあるんです。間って、ないものだけど、間があって次が生まれてくる、そんな間が深淵なんです。

杉山　『間』というのはないんですね」

「ない」ことが……あるんですよ（笑）。
物の周りとかもそうで……たとえば、このiPadの周りには空間がありますよね。ほかのものとの間に隙間があるから、これがiPad、と区別して指さすことができるわけです。その間にある空間も、深淵なんですよ。
もちろん、人と人の間にもある。だから深淵って、あちこちにあるんですよ。

杉山「今は、『ソーシャル・ディスタンス』で離されちゃっていますけどね（笑）」

でもあれは、じつは「フィジカル・ディスタンス（物理的距離）」ですから、そのせいで「ソーシャル・コネクション」が失われるとは限らないでしょう？

僕がアメリカに住んでいるときは林の中の坐禅堂にいたので、隣の家まで、歩いて10分かかるくらい、離れていました。でも、時々パーティーをしたり、メシを食ったり、坐禅を組んだりして、いい付き合いをさせてもらいましたよ。物理的な距離は離れていても、お隣さんとしてちゃんとつながっていたんです。ディスタントだったけど、コネクトしていた。

だから、「ソーシャル・ディスタンス」と言っているものの本質は、「ソーシャル・コネクション」のことだと思うんですよ。

今日の対談だって、オンラインで違う場所にいるけど、コネクトしているように感じる人が多いのではないでしょうか？　これが終わって解散するときに「名残惜しい」という感じがしたら、コネクトしていた証拠ですよ。

熊野「コロナでますます先行きが不透明になった今、メディアでは盛んに『変化に適

応せよ』みたいなことが言われていますが、一照さんはある記事の中で『トランスフォーメーション（変容）』とおっしゃっていました。この『適応する』と『トランスフォームする』は、どう違うのでしょうか？」

「適応」というのは、すでにある環境に合わせていく、ということです。

でも、この環境自体が固定されたものではなく、昨日と今日では違っています。だから「トランスフォーム」とは、すでにある、固定した環境に適応するという考えではなくて、環境自体を自分でつくっていく、という考え方です。

命というものは……動物の巣を見ればわかるのですが、環境と独立して存在しているわけではないんです。

たとえばアリ。僕たちは「アリを描いてください」と言われたら、小さくて黒いアリの個体を描いちゃいますが、本当の生きているアリというのは、巣ごとの存在なんです。自分という存在は自分を取り巻く環境ぐるみ、というのと同じ意味です。

そしてアリというのは、その場所その場所に応じた巣をつくり、そして、つくった巣に自分がつくられています。つまり、環境をつくりながら、同時にその環境につくられてもいるんですよ。この相互交流それ自体が、いのちの姿です。

この相互につくり、つくられる関係は、モノとか自然とかでも起きています。たとえば、川。自然界での水の循環を見ると、どこが川の始まりなのか、もうわからないですよね。

そういう不可分の有機的関係性の中で僕らにできることは、自分たちに合うように社会をつくっていき、つくった社会から自分たちがつくられ、不都合が起こってきたら、さらに社会をつくり直すという循環を、誠実に続けていくことなんです。

「適応」というのは、すでにある社会や秩序に合わせにいくだけで、同時に僕らが社会をつくっているという側面が抜け落ちています。だから、社会適応という言葉は適切ではなく、社会変容（トランスフォーム）、あるいは社会創造なんです。

コロナ禍を経験したわれわれの社会は、最初に言ったように、傷に絆創膏を貼るような小手先の解決法では、もはやどうしようもなくなったので、丸ごとの社会構造そのものをトランスフォームさせていかなければならないわけです。「自分たちが居心地のいい社会＝巣」をつくりつつ、それからつくられる、といった双方向の循環的な流れを、なるべくスムーズに、協働的に……落ちこぼれがないように、つくっていく必要があるんです。落ちこぼれがいること自体が、そのシステムの脆弱性、機能不全を物語っているわけですからね。

杉山　『社会は変わりますか？』という質問がきているのですが……」

ハハハ……さっきの言い方をくり返すと、人に下駄《げた》を預けないで、あなたがまず変えようとしなさい、ということですね（笑）。

でも実際には、放っておいても社会は変わりまくっていますよ。ですから、その質問者に答えるとすれば、「あなた一人や二人が何もしなくても、社会は変わっていくから、心配しなくていいと思います」ということかな（笑）。それが、その人にとって望ましいかどうかは別ですが。

居心地のいい巣に住みたければ、社会がよき方向に変わっていくように、「蟷螂《とうろう》の斧《おの》」でもいいから一生懸命に振るって、自分でかかわっていくことが大事だと思います。

与謝野晶子は、社会は大きな殿堂のようなものだけど、そこに自分が黄金のクギを1本でも打てれば私の人生はよしとしよう、というような歌を詠んだんですよ。「劫初《ごうしょ》より作りいとなむ殿堂にわれも黄金《こがね》の釘《くぎ》一つ打つ」だったかな。そういう、社会に対する謙虚だけど確かな取り組みの意欲みたいなものは、とても大事です。

子どもや愛する人、後にくる若い世代に対して、ネガティブな負債ではなく、ポジティブなギフトを残していきたい、という思いは、その人を健全な方向に導いていきますよ。

第五夜
子どもたちはどうする？

話し手

副島賢和さん
病弱教育のスペシャリスト

〈5月29日〉

——ある視聴者の独白

明日、子どもたちに読む絵本を選んでいるうちに『100万回生きたねこ』に引っかかり、じっくり読んでまた泣いてしまった。この絵本は何度読んでも泣ける。自分の原点かもしれない。初めて出会ったのは保育園のときだったと思う。はっきり言って内容はちゃんと理解できなかったけど、最後は泣いていた。

イラストレーターをしている母のおかげで、家には絵本がたくさんあった。だから、家で退屈したことはほぼない。何度読んでも楽しめるのが絵本のいいところ。時間があればあるだけ、何度でも同じストーリーをたどることができて、幸せだった。

僕が絵本を好きなように、母は星が好きだ。

これについては、いちどもちゃんと話したことがないので、理由は知らないけど、間違いないと思う。「どこか連れていって」とお願いすると、あっさり断られるのだけど、「プラネタリウムに連れていって」とお願いしたら、よほどのことがない限り「いいよ」と言ってくれた。家から近く、安かったという理由もあるとは思うけど。

そうか、星の絵本もいいかもしれないな。『100万回生きたねこ』は今のご時世、そしてこのタイミングで保育園に来ている医療関係者の子どもたちに対しては、ちょっと気が引ける。

緊急事態宣言は明けたものの、保育園に来る子どもはまだ少ない。だからといって楽なことはなくて、公園にも行けないし、部屋の中でできることを考えるのが大変なのだ。その点、絵本の中は自由で、どこにでも行けるし、何にでもなれる。それに、まだ保育士になりたてで何の経験もない僕には、毎日絵本を選ぶことくらいしかできない。

本当は、こういうときだからこそ、いろいろな人に会って話したい。正直なところ、息抜きだってしたい。でも、もちろんそれはできない。もしも自分が感染したら、保育園は閉めざるをえない。そうすると、あの子たちはどこでどう過ごすのか？　その親たちがかかわる医療現場はどうなるのか？　そうしたら……。

考えていくと、疲れるので、また手近にある絵本を開く。結局、子どもたちのためとか言いながら、自分がいちばん絵本に癒されているのかもしれない。

こんな状況でも、僕はきっとついているほうだ。好きなことを仕事にできたから。

2つ年下の彼女は、これから就職活動が始まる。きっと、不安で仕方ないだろう。画面越しで一緒にご飯を食べたり、同じ時間を過ごしてはいるけれど、それだけではわからないこともある。人と人は、直接会うことでわかることや感じることがある、ということを初めて知ったかもしれない。

自分から不安だなんて、けっして言い出せないタイプの、ちょっとうちの母に似たタイプの彼女の力になれないのは、もどかしい。もっともそれ以前に、僕が近くにいることが彼女の力になるのか？　なんか自信がなくなってくるから、考えるのをやめよう。

深呼吸をひとつして、ペン立てから体温計を取り出す。最近、なんとなく体温を測ることが習慣になっている。そして、平熱であることを確認するとホッとする。

36・3℃——うん、今日も大丈夫。

それより、目の前にある明日の絵本だ。気を取り直して本棚と向き合った。

今の子どもたちに、どんな楽しいことを伝えたらいいだろう？

たぶん正解はないんだろうけど、限りなくそれに近いものを探す。自分が子どものころに一生の宝物になる一冊に出会えたように、なにげない出会いが、これから先、とても長い人生を支えてくれる、かもしれない。

今の子どもたちが見る景色は、きっと僕たちが見てきた景色とは違うと思う。変わったのは時代だけじゃない。保育園もこんな状況だし、学校もずっとお休みのまま。どうなっていくかは、だれにも予想がつかない。

それでも保育園は開く。子どもたちは来る。そこで僕に何ができるのか？

また涙が出てきた。『100万回生きたねこ』を読んでいないのに。子どもたちや彼女の不安を心配しているようだけど、いちばん不安なのは自分自身なのだ。

こんな状態では子どもたちの前で笑えない。なんとかして気持ちを切り替えないと。おもむろに開いたパソコンには通知が来ていた。そうだ、彼女が教えてくれたイベントの時間が迫っている。彼女の父親は会社を経営しているらしく、いつも上からものを言われるのが気に入らない、と話していたことがある。でも、そういう君もけっこうお父さんに似ているところがあるよ、と、ちょっと毒づいてみたりして。今回はそんな父親から勧められたらしい。それを素直に聞き入れているところからも、彼女の不安が伝わってくる。

急いでイヤホンをつけると、昔、母が聞いていた曲のイントロが聞こえてきた。

制限があったら幸せにはなれない？

杉山　「第五夜のゲストは、昭和大学大学院保健医療学研究科准教授で、病弱教育のスペシャリスト、副島賢和先生です」

こんばんは。病院内の学校である院内学級の先生をしていまして、子どもたちからは（クラウンの赤い鼻をつけて）「あかはなそえじ」と呼ばれています。

院内学級というのは、耳や目に障害があったり、体が動かなかったりする、さまざまな障害を抱えた子どもたちを対象にした「特別支援教育」のひとつです。その対象として「難聴者」や「弱視者」などと並んで「病弱・身体虚弱の児童生徒」というくくりも入っています。この「病弱・身体虚弱の児童生徒」にあたる子どもたちを対象にしたものを「病弱教育」とよんでいて、そのうち、入院をしている子どもたちの教育を行っているのが「病院の中の学校・学級」、通称「院内学級」です。

杉山「副島先生は2009年に放送されたテレビドラマ『赤鼻のセンセイ』のモチーフになった人でもあります。そもそも、院内学級にかかわろうと思ったのは、なぜですか？」

じつは、僕自身も子どものころに病気を繰り返していて、遠くから聞こえる運動会の音を家で聞いたり、遠足の行列が通るのを窓から見たりしていた子どもでした。

ただ、当時のことは大人になると忘れてしまっていて、約25年前に教員になったときは、いわゆる通常学級……この「通常学級」という言い方は好きではないんですが……最初はそういうところで、体育の授業に熱心な、普通の教員をしていました。

でも、教員6年目くらいに肺の病気になって学校に行けなくなり、5年間くらい入退院を繰り返していました。

その1回目の入院のときに、同じ病院に子どもがいたんです。その子のことを看護師さんに聞いてみたら「あの子、あまり退院できないんだよね」とのことだったので、「じゃあ、学校はどうしているんだろう？」と思ったんですよ。

でも、いざ自分が退院すると、僕はその子のことを忘れちゃったんですね。当時は「病院の中は不幸で、病院の外に幸せがあるので、早くそこに戻りたい」というふうに考えていました。ですから、「やった！　退院できた！」という思いしかありませんでした。

そして再入院したときに、ようやく「そういえば、あの子はどうしたんだろう」と思い出したのですが、その子は、病院にはいませんでした。あらためて「病院の中は不幸で、病院の外に幸せがある」と考えていた自分を思い出したんです。そこで、「じゃあ、あの子みたいに長く入院している子は、ずっと不幸なのか？」と自問したときに、「いや、それはおかしいだろう」という結論に至りました。

それ以来、「病院の中にいても、ちゃんと幸せになれる方法はないかなぁ」という思いが、ずっと頭の片隅に残るようになりました。その後、教員をやりながら大学院に行き、そこで心理学の分野の「学校不適応」という、学校に行くのがしんどい子たちの学びを勉強したときに、入院している子どもたちと、自分の中でリンクしたんです。

そこから、養護学校教諭（当時）の免許をとって、院内学級にたどり着きました。

杉山　「院内学級にいる子たちは病気を治すことが最優先なので、1か月、2か月と勉強できない期間もあると思うのですが……緊急事態宣言で、学校が2か月間ほぼ止まってしまい、この2か月の遅れを前に、みんなあたふたしています。院内学級の子たちは、そういう状況がつねにあったわけですね？」

はい。ですから僕たち病弱教育に携わる教員は、勉強できない状況の子どもたちに対してどうするか、ということを、ずっと考えてやってきました。

熊野　「ウィズコロナやアフターコロナの時代に子どもたちはどうなっていくのだろうか、ということを、僕たち親は考えてしまいますが、大きな枠組みとして、これから教育はどうなっていくとお考えですか？」

今後は、学校を元の状態に戻そうという力が、ドーンと働くと思います。元の状態に戻るというのは、人間にとって安心ですからね。

ゆとり教育のときも然り、総合的な学習が進められたときも然り。東日本大震災が起きて、人にやさしい世の中になるんじゃないかと思ったときにも、お金の話に一気に戻ってしまいましたよね。そういうときに僕ら教師がいつも考えていたのは、学ぶ力や生きる力についてなんです。

なかでも「学力とは何か」ということは、教育に携わる人間がずっと議論してきたことです。現状は、テストの平均点のような、「学んだ結果の力」を学力と呼んでいます。でも、**学力って本来は「学ぶ力」「どうやって学んでいくか、という力」でもあるはず**なんですよ。

「学ぶ力」は評価しにくいから、結果で評価するしかなく、だから、「学んだ結果の力」

を学力と呼びがちです。でも教師は、「それだけじゃないよね」という思いをもっていて、「学ぶ力」をつけさせることについて、ずっと考えてきたんですね。ゆとり教育や総合的な学習も、そういう議論の中から出てきたものなんです。

今回、学校がストップしたときに、子どもたちは何をしていいかわからなくなりました。これは、学ぶ力を育ててこられなかったからです。

本来、子どもは1か月も2か月も自分の時間をもらえたら、ワクワク、ドキドキするはずなんですよ。「こんなこと、やってもいいの⁉」「これ、やりたかったんだけど、学校があったからできなかったんだよね！」という感じで、やりたかったことをやれるチャンスだったはずなんです。それなのに、「何をしたらいいの？」「暇だ、暇だ」ってなっちゃった。

そんな状況を見て、僕は「本来の学びにあるはずのワクワクやドキドキを、学校や、僕ら教師は奪ってきたのだろうか」という思いに駆られて、ものすごく反省したんです。

以前、脳科学者の茂木健一郎先生が、「子どもたちが学校に依存しなくていい力をつけさせるのが、学校の仕事ではないか」ということをおっしゃっていて、「そうだよな！」と強く思いました。

僕自身は、そういうことを授業に取り入れていたんです。先輩教師から教えられた方法なのですが、教師の僕がいるときに、あえて自習をやっていました。明日の何時間目は自習だよと予告しておいて、ひとりひとりが45分間の計画を自分で立てるんです。その計画表を黒板に貼って、先生はいるけれど自習の時間、というふうにやっていました。ひとりで勉強する力が育っていなかったら、ウチに帰って勉強なんてできないですからね。

こういうことをきちんとやっていかないと、子どもたちに「学ぶよ」と言ったときに、どれくらいの子がワクワク、ドキドキするのかなぁ、と考えちゃいますよね。

杉山　「さっきチャットで『またワクワクの話だ！』という書き込みがありましたが……今の公教育で、子どもたちがワクワク、ドキドキできるような教育をすることは可能でしょうか？」

公教育のいいところは、すべての子どもたちを対象にしているところです。この「すべての子どもたちに教育を」という部分は、公教育が担っていかなければいけないし、公教育がなくなってはいけない理由でもあると思っています。

そのうえでの話になりますが、公教育の学校で教える先生たちにも葛藤があるようで

す。子どもに学ぶ力をつけさせたい、自分でワクワク、ドキドキして、それを追究していく力をつけさせなくては、と思っている先生はたくさんいます。

けれど、緊急事態宣言が解除されて学校が始まったときに、先生の目の前にドーンと突きつけられるのが「授業時数」の問題なんです。教育は法律で決められた中でやっているので、授業時数の決まりに従わなくてはいけない。一斉休校で2か月分が空白になったとしても、年間の授業時数は減らないんです。

先生たちは、法律で決まった枠を守りながら、かつ楽しくやっていくにはどうすればいいのかということを、必死に考えています。でも、先生たちのがんばりだけでは、どうにもなりません。現場の葛藤やジレンマを解消するには、国会できちんと手続きを踏んで、法律を変えてもらうしかないんです。

そういうことが、今、現場から離れてみてわかりましたね。

不安な子どもの心をケアする10項目

杉山　「もし、副島先生が今も小学校の現場にいたとしたら、休校措置が解除されて子どもたちが戻ってきたときに、勉強の遅れをどうやって取り戻しますか？」

難しい部分もあるのですが……僕は病弱教育の考え方を使えばいいと思っています。病弱教育にも学習指導要領に則った教育課程があって、そこには「準ずる教育」という規定があります。この「準ずる」というのは、「通常学級の指導要領に準ずる」という意味です。

入院している子どもが、入院中に教室で進んでいる何十時間分の授業を、全部院内でこなすのは無理です。そこで院内学級の教員は、たとえば、「ドリルは奇数番号の問題だけをやろう」「これとこれをやっておけば、大事なところは全部押さえられる、という問題をピックアップしてやろう」「国語をやるときに、社会を混ぜてやることはできないだろうか」といったことを考えながらやっていきます。こういうやり方が、学習指導要領で保障されているんです。

今回の場合は、新型コロナウイルス感染症という病気によって、子どもたち全員が当事者になったわけです。そう考えれば、「準ずる教育」を適用することも可能だと思うんですよね。

杉山　「そんな話、ワイドショーではだれも触れていないですね……」

今回の事態では発想を転換して、病弱教育の知見や臨床の知恵を参考にして対応したら、子どもたちの負担は減るし、先生たちが工夫を凝らす余地も残りますよね。そういう発想を持ち込んでくれればいいのになぁ、と強く思っています。

杉山「コロナが怖くて学校に行くのも怖いとか、そういう場合、子どもたちのメンタルのケアという部分で、大人は子どもたちのために何ができるでしょうか？　僕も親として経験がありますが、子どもが学校に行けなくなってしまうと、親はもう、訳がわからなくなってしまうんですよ」

緊急事態宣言が解除されて学校が再開されても、「やったぁー」と喜ぶ子どもが全員ではないですよね。休みになったことがラッキーだと思っていた子や、学校が再開されることに不安感をもっている子もいました。

これは、コロナじゃなくてもあることです。

そういう子たちを学校に戻すときというのは、じつは入院していた子たちを学校に戻すときと共通点があると思います。僕は、その子が大丈夫かどうかを見るための10個のチェック項目をつくっています。

①　教室に、もともとその子の居場所はあったのか

入院してくる前のその子が、学校をいい場所だと思っていたかどうか、場所をつくれていたかどうか、ということです。いざ退院となったとき、あるいは休校措置が解除されたとき、すんなりと学校に戻れる子ばかりではないということですね。

②　休みの間に、その子が学校や友だちとのつながりをもてていたか

入院すると、お見舞いってほとんど来てくれないんですね。とくに院内学級に通うためには転校が必要になります。そうすると、先生の中には、もうその子の担任ではないという感覚をもつ人もいます。そういう状態だとしても、以前に通っていた学校とつながりをもてているかどうか、ということです。お友だちでもかまいません。

③　復帰するにあたって、その子の不安を軽減できたか

復帰するにあたって、子どもはいろいろな不安を感じます。学習についていけるのかとか、お友だちとの関係は大丈夫だろうかとか、具合が悪くなったらどこに相談すればいいんだろうかとか、そういった不安をひとつひとつ手当してしてあげることができたか、ということですね。

④　復帰した後の見通しを、その子自身がもてているか

短期的にも長期的にも見通しを立てられるか。たとえば短期的には、自分は退院してしばらくは午前中しか学校に行けないけど、1か月くらい様子を見て、お医者さんの許可が出たらフルで行けるようになるとか、受験ではこういう対応をしてもらえるとか、学校の先生が補習授業をしてくれるといったことです。長期的には、学校を卒業して就職できるかとか、家族をもつことはできるかといった見通しをもてているかどうか、というようなことですね。

⑤　学校にその子が相談したり頼れたりする場所・人があるか

担任の先生ではなくても、専科の先生や主事さんでもかまいません。だれでもいいから、その子がつらいときに、フッと頼れる人や場所が学校にあるか、ということです。

⑥　学校以外にエネルギーを溜めることのできる場所があるか

おウチでもいいし、近所の駄菓子屋さんでもいいし、習い事の教室でもいいし、病院に遊びに来てくれてもいいんです。とにかく、学校以外でその子がエネルギーチャージできる場所があるか、です。

⑦　学校に行けなかった経験を将来の糧にできるような種を、その子の中に植えられたか

院内学級の教員はみんなすごく考えていることです。入院していたり、学校に行けていなかったりするときの子どもは、その経験が将来の糧になるなんて、絶対に思えません。でも、「学校に行けていなかったときにも、こういう楽しいことがあったよなぁ」とか、「こういうときだからこそ、あの人に会えたよなぁ」とか、後でそう思えるような種を、その子の中にそっと植えることができたかどうか、ですね。

⑧　その子を受け入れる側が成長できているかどうか

入院していた子や不登校だった子が帰ってくるとき、「しんどいことがあったら言ってね、いつでも手を貸すよ」とだれもが言えるようなクラスに成長しているかどうか、ですね。これは、担任の先生がとても心を砕いてやっている部分ですが、なかなか難しくて、一朝一夕にはできないことです。

⑨　本人に力をつけられたかどうか

授業中に集中をする力や、しんどいときに「助けて」と言える力、「先生、わかりません」と質問できる力などが本人についているか、ということです。

⑩ 学校の体制として組織として、その子を受け入れられるかどうか

学校側の体制の問題ですね。戻ってくる子のクラスだけではなく、ほかのクラスや担任ではない先生も含めた学校の体制が、組織としてできているか、ということです。

大体この10項目で、復帰する子たちが大丈夫かどうかを見てきました。

プラスアルファで、その子の兄弟や親御さんとの関係性も見てあげないといけない部分です。入院や不登校になると、親もやっぱり傷ついていることが多いですから。

傷つくという点では、担任の先生も傷ついているんです。自分のクラスにぽつんと空いた席があると、やっぱり傷つくんですよ。ですから、傷ついている先生としっかりコンタクトがとれているか、ということも大事になってきます。

熊野　「めちゃくちゃ具体的ですね。リアルに、現場で積み重ねて考えてきた『鉄の十則』という印象をもちました。アドラー心理学の観点からこの10項目を見ると、3つのキーワードが浮かんできました。1つ目は『所属感』。人間にとってすごく大事な、どこかに所属しているという気持ちですね。2つ目が『つながり』です。私とだれか、というつながりがもてているかどうか。そして3つ目が『関心』。だれかが私に関心をもってくれている、ということですが、イコール、共感をしてくれる人がいる、ということです。この『所属感』『つながり』『関心』がとても大事なんですね」

実年齢より上の生き方を求められる子どもたち

杉山「子どもとの距離を近づけるとき、話をするとか、スキンシップをするとか、いろいろな方法があると思いますが、大変な立場にいる子や、つらい思いをしている子たちに接するとき、副島先生は何を心がけていますか？」

最初の出会いでは、距離感に気をつけます。

僕の場合は、まずフラれにいきます。初めて教室に来てくれた子……とくに思春期くらいの子に対して使うのですが……みんな、心理学でいうところのパーソナルスペースをもっています。そのスペースに、ちょっとだけ足を踏み入れるんです。

そうすると大体「ああん?」とか「何だよ」という顔をされるので、すぐに出ていきます。そのときに、ただ出ていくのではなく、「ああ、ごめん、ごめん」と言いながら離

れていく。そうすると、「私はあなたを傷つけません」「あなたの中にズケズケと入っていく人間ではありません」というメッセージになるんです。
　これは、勉強の場面でも遊びの場面でも同じです。私が安全な人間であるということを見せておくんですね。
　そして、そこからはアンテナを張ります。この子が僕のことを「……先生！」と思ってくれた瞬間――ピッと来るものを、絶対に逃しません。そういうときは、明るい声で「何？」って言うんです。そうしたら、ちょっとずつ、その子に入っていくことができますよね。
　そういう距離感は、すごく大事にしています。

　そこから距離を縮めていくやり方はいろいろです。対話がいいのか、スキンシップがいいのか、スキンシップにしてもどういう触れ方がいいのか、あるいは心で触れたほうがいいのか、それとも、寂しくてただそばにいてほしいだけなのか……そういうことを、アンテナを敏感にして捉えながら近づいていく、という感じですね。
　あと、病院の病棟は、ドアが1つしかありません。対する子どもは座っていたりベッドに寝ていたりしますから、大人がドアからバッと入っていくと見上げる形になるし、逃げ場もないので、やっぱり怖いんですよ。

ですから、そういうときにどこに体を寄せればいいか、どれくらいの高さで話しかければいいのか、親御さんがいる場合は、親御さんと僕の間で視線を行ったり来たりさせないでいいように、親御さんの横に並んで話しかけるとか、そういったことを考えながら、子どもとの距離感を見つけていきます。

杉山「ウィズコロナの時代では、あまりスキンシップができないと思いますが、先生からは心で触れるとか視線といった話が出てきました。そのあたりを詳しく教えていただけますか？」

それについては、秩父神社で、子どもとの距離感についての心得が掲げられているのを見つけたんです。「親の心得」というものですが、それによると……

・赤子には肌を離すな
・幼児には手を離すな
・子供には眼を離すな
・若者には心を離すな

赤子から若者まで、どういう距離感で接すればいいのか、ひと目でわかるんですよ。しかも、肌や手だけではなく、目や心でも触れられると言っていますよね。

ただし、子どもって傷ついたときには回復するために年齢を下げます。心理学でいう「退行」ですね。子どもは退行を起こすので、目の前にいる子どもが何歳くらいに見えるか、ということが、子どもと接するうえでとても大事なんです。実年齢より小さい子に見えたら、小さい子の年齢でかかわってあげなければいけません。「親の心得」でいうと、幼児なのに赤子のようにふるまっていたら、肌をもって接する、子どもなのに幼児のように見えたら、手でもって接してあげる、ということです。

そういう子どもは、エネルギーが回復して実年齢に戻ると、急にパッと離れていきますよ。「うぜぇ！」とか言いながら（笑）。「いや、君のほうから来たんでしょ」と言いたくなりますが（笑）、子どもって、そうやって回復していくんです。しんどいときは年齢を下げて、エネルギーを溜めて、また自分の年齢に戻っていく。

ただ、中学生の子が幼児くらいに見えたからといって、「そうでちゅよね～」なんて言わないですよ（笑）。そういうときは、もっとやさしい言葉をかけてみたり、肩に手を置いて話してみたり、ゆっくり一緒にいてあげたり、といったことをします。それで子どもが実年齢に戻っていったら、すっと離れてあげるのが大事だと思います。

そういう点から考えると、今回のコロナ禍で、子どもたちは実年齢より上の生き方を求められるなか、がんばって過ごしてきました。実年齢より上で生きる子たちというのは、エネルギーの減り方がすごく早いので、すごくゴロゴロしたり、甘えん坊だったり、わがままだったり、というように、逆転した姿を見せていたはずなんですよね。

学校が再開してからも、授業時数の関係もあって、これまで以上にがんばって、我慢しているはずなんです。そうすると、家に帰ってきたときには、もっと退行すると思いますよ。

大人だって同じです。在宅勤務から出社勤務に戻って、感染しないかビクビクしながら通勤して、息苦しくてもマスクをして、しんどい思いをして家に帰ってくるから、家の中は大変ですよね。だから、みんなで支え合う体制をつくっていく必要があるのではないかと思います。

熊野　「視聴者からの質問です。子どもがコロナ前から不登校気味でした。その後、コロナで長期休校になり、学校が再開するという段階になりましたが、親として注意しておくべきところはありますか？」

今まで不登校気味だったとしたら、「行ってきなさい」と送り出しても、それは子ど

もにとってはしんどいことかもしれません。学校は安全な場所だよ、体も心も傷つけられない場所だよって、その子が思えるようにするには……。その子自身に会ったことがないので、具体的なことが言いにくいですね。

杉山　「では、不登校の子と通じる部分もあると思って聞きますが、院内学級にいる子は、薬を飲まなきゃいけないことも多いと思います。『薬を飲みたくない』と嫌がるときもあるでしょうが、『飲まなくてもいいよ』とは言えませんよね。そんなとき、先生はどう接していますか？」

それはもう、**感情を受け止めることです。先生方や親御さんには「受容はするけど許容はしない」という言い方をしています。「受容」というのは、その子の感情を受け止めることです。**

感情って、うれしい、楽しいといったポジティブなものと、苦しい、悲しいといったネガティブなものに分けられることが多いですが、じつは、自分の願いを人に伝えるための、大きな一個のものなので、よし悪しはないんです。だから、どんな感情でも、ちゃんと受け止めます。

そうして、自分の感情を聞いてもらえた、と感じた子どもは、「じゃ、やろうか」ってなります。「しょうがねぇなぁ」とか言いながら（笑）。

じつは、子どもが「やりたくない」と言っているときって、「やりたくない気持ちを聞いてよ」と言っているんです。「嫌だ、やらない」と言ったのであれば、それは、何か引っかかっているものがあるときなので、その引っかかっている何かを取ってあげないとやりません。逆に、「やりたくない」と言ったときは、やりたくない気持ちを聞いてあげればいいんです。

このあたりは、子どもの反応の受け取り方として使えるポイントだと思います。

熊野　「今の『受容はするけど許容はしない』というのは、まさにアドラー心理学の『共感するけど同意しない』と同じです。子どもがわざと変なことをしたり、反抗したり、『ママなんか大っ嫌い』と相手を傷つけることを言ったりしたときって、つい僕たちは『何でそういうことを言うの！』と反応しちゃいますよね。けれど、子どもはそういう言葉を使ってでも、何か伝えたいことがあるんですよ。だから、子どもが反抗的な言葉遣いをすることに対して、同意はできないけど、伝えたい何かがあるんだな、ということには目を向け、耳を傾け、心で感じてみる――つまり共感することが必要です」

「助けを求めるスキル」を身につけてほしい

杉山　「第四夜までは、『自分から動こう』という話がたくさん出てきましたが、『やらなきゃいけない』と思いながら、なかなか動けない、勇気が出せない子もいますよね。そういうときにはどうしたらいいのでしょうか？」

そうなってしまったとき、**大事なポイントは「援助希求」だと思います。要するに、「助けて」「手伝って」と言える力です。「助けて」「手伝って」と言うことは、じつはとても難しいことなんです。**

僕は、「体」と「心」と「頭」の面から考えていきます。まずは、「助けて」と言うスキルをもっていない子たちがいます。どんな顔をして「手伝って」と言えばいいのかわからない。抱えているものがどうしようもなくなっても、「これ、お願いします」ってどう言えばいいのかわからない。そういう行動＝「体」の面でできない場合があります。

次に、「助けて」なんて言うと恥ずかしくなっちゃったり、悲しくなっちゃったりして、

「ああ、もういやだぁ」となっちゃう「心」をもっている子もいます。

さらには、「助けて、なんて言う自分はダメだ」「こんな自分には価値がない」と、「頭」で考えてしまう子たちもいるんですよね。

そんなふうに思っていたら、「助けて」なんて言えません。だから、子どもたちが「助けて」と言うスキルを身につけるための練習をします。その方法は、僕自身が「助けて」と言う姿を見せることです。失敗する姿を見せたり、子どもたちに「ねぇ助けて」とか「ちょっとこれがわからないんだけど、教えてよ」とお願いしたりします。

また、「だれかを助けてあげられて、よかったね」とか、逆に「助けてもらって、うれしかったね」といったことを伝えるのも大切です。助けてもらうことはダメなことじゃない、ということを体感する必要があるんです。

大人だって同じで、「動かないとダメだ」と考えたり、動けない自分を情けないと思ったり、動く方法を知らなかったりということがあると思います。そういうときには「助けて」と言っていいんだ、ということを伝えていく必要がありますよね。

杉山　「今は、できている人とできていない人との差がどんどん開いて、二極化している印象がありますが、うまくいっていない人たちを置き去りにしないようにするには、どんな心構えで対処すればいいでしょうか？」

うまくいっていない人たちを置き去りにしないために必要なことは、どれだけ当事者意識をもてるか、だと思います。

「すべての子どもたちに教育を」という公教育の話をしましたが、今回のコロナ禍で、先生たちは子どもたちの学びを止めないように、一生懸命動いてくれましたよね。大量の宿題をドーンと出したり(笑)、オンライン授業をやったりしていました。

こういうことってじつは、病気の子どもが入院したときに、僕たちが学校にずっとお願いしてきたことなんですよ。「ここに、学びを止めてはいけない子どもたちがいるんです」って、ずーっとお願いしてきました。

これは入院している子どもに限らない話で、教育のマイノリティの子どもたちはほかにもいます。たとえば、不登校の子どもたちもそうですし、貧困家庭の子どもたちや犯罪にかかわってしまった子どもたち、外国籍の子どもたちもそうです。そういう教育マイノリティの子どもたちがいる――これに似た構図ですよね。

そうしたなかで、双方がお互いに当事者意識をもてるようにするにはどうしたらいいのか、ということを大人が考えていって、理想的なモデルを見せていく必要があると思っています。学校では、子どもたちに「相手の気持ちを考えなさい」とか「思いやりをもちなさい」なんて言いますが、これは本当に難しいんですよね。ですから、僕が子どもたちに言っているのは、視点を変えて物事を見る力をつけること、想像する力をもつこと、どんな感情も大切にすることの3つです。これが、相手の身になって考えることの、いちばんの近道だと思います。

「ひとりじゃない」と思える「場」をつくる

杉山　「では、第五夜のまとめの言葉をお願いします」

はい。僕がずっと子どもたちに伝えたいなと思ってきたのが、この言葉です。

ひとりじゃない

熊野　「『仲間』だ！」

僕は、ひとりじゃないんだよ、ということを伝え続けたいなと思っています。

そして、「ひとりじゃない」と思えたときに初めて、

ひとりでもだいじょうぶ

と思えるようになるんです。「ひとりじゃない」と思えた人は、ひとりでもいられますが、「ひとりぼっちだ」と思っている人は、ひとりじゃいられないんですよ。

熊野　「……（落涙）」

これまでの4日間でも「仲間」「つながり」といったキーワードが出ていたように、「自分はひとりじゃない」と思えるように、そして、そんなふうに思ってもらえるように、ということが大事だと思いますね。

杉山　「これはグッとくる言葉ですね！　これまでのゲストの話を聞いていると、『がんばろう』という気になるんですけど、その一方で、自分に不安を覚えてしまう部分もあります。そんなとき、『自分はひとりじゃない』と思えれば違ってきますよね。相手がそう思えるようにするには、どうすればいいのでしょうか？」

心理学に「ソーシャル・サポート」という概念があります。僕はこれを知ったときに感心したのですが……周りの人が実際にサポートしてあげていなくても、本人が周りからサポートされている、と思っていれば大丈夫なんだそうです。だから、本人が「自分は周りに支えてもらっている」「あの人がいるから大丈夫」と思えるようにすることがひとつの手なのかな、と思いますよね。

そのためにはどうすればいいのか。たとえば、退院していった子が、また具合が悪くなって再入院することもあります。そうすると「自分はダメだ、また病院に戻ってきちゃった」ってなるんですが、そんな子どもたちには、「よおっ！」と明るく声をかけて、「また何か楽しいことをやろうぜ！」と言うんです。そういうオッサンが待っていることで、「俺、ダメじゃないかも」って子どもたちが感じてくれればと思って。

そういう雰囲気の「場」を、しんどい場所……それは学校かもしれないし、家にいてもそうかもしれません……そういう場所にもつくれたらいいですよね。もちろん、それ

は子どもだけではなく、大人にも当てはまることです。
そういう場の広がりを、僕は東日本大震災の後にちょっと期待したんです。あのときは、一瞬、世の中がそういう雰囲気になりましたよね。お互いが当事者意識をもって支え合う世の中に。でも……こういうことを言っていいのかわかりませんが……しばらくするとあの場所に問題をぎゅっと閉じ込めていって、あそこだけのローカルな問題にしてしまった……。
だけど、今回のコロナはみんなが当事者です。だれもが当事者なんだから、そういう人にやさしい世の中に、みんなでしていきたいなぁと思います。

熊野　「それには、やっぱりアクションですよね。副島先生のこの話を聞いて……泣いてるだけじゃダメなんだよ！」

だれもが「あなたが大切」と言われる世の中に

熊野　「親や先生は、子どもに対して『何かしてあげなきゃ』と考えがちですけど、『ひとりじゃない』と思えるようにするには、ただそばにいてあげるだけ、ということも大事だなって思ったのですが、どう思いますか？」

「ただそばにいる」というのは、子どもたちが求めていることとですし、傷ついた人も、「何も言わなくていいから、そこにいて」と思うことが多いんですけど、じつは、そばにいる側の人が大変なんですよね。

「何もしないでいる」ということをやり続けるのって、ものすごくつらいんです。「何もしていない、ということをしている」というのは、周りからは見えないんです。見えないから評価してもらえないし、フィードバックもありません。これはつらい。

だから、何もしないことをやり続けるには、自分自身も強くなくてはいけないいんだけど、「何もしていない、ということをしている」ということを知ってくれている人が、だれかひとりでもいれば続けられるんですよ。つまり、**「ケアする人をケアする人」が必要なんです。**ここでも、「ひとりじゃない」と思えることが大切になってきます。

杉山　「以前、副島先生に『健康第一という言葉は、人を責める』と言われたことがあり、ずっと心に残っていました。今回のコロナ禍で、この言葉はより重要になったなぁと感じているのですが、そのあたりのことを聞かせてもらえますか？」

「健康」って、学校の教育目標でもよくありますよね。「明るく、元気で、賢い」というやつです。そういう目標を掲げるのはいいのですが、裏を返して「そうできない子はダメだよ」というメッセージとして受け取っちゃう子がいるんですよ。それは、自分のことを大事に思えない子、自尊感情が満たされていない子たちです。

この自尊感情には大きく分けて、「できる」「わかる」といった「社会的自尊感情」と、自分を大切に思う「基本的自尊感情」がある、ということを、臨床心理学の近藤卓先生がおっしゃっています。この基本的自尊感情のほうが満たされている子……自分は自分のままで愛されている、とちゃんと思えている子は、「健康第一だよね」と言われても、「そうなんだ」と思えるんです。でも、基本的自尊感情がズタズタになっている子が言われると、「健康じゃない自分はダメなんだ」「そんな自分は愛されない」と思っちゃうんです。

だから、その子が基本的自尊感情をちゃんともてているかどうか、を見定めたうえで言葉を使わないといけないな、というのは、自戒を込めて強く思っています。

杉山　「ニュースを見ると、コロナに感染した人が謝ることが多いですが、本当は謝る必要なんてありませんよね。それを、周りがわかっていかなくてはいけないですよね」

入院している子どもたちも、迷惑をかけていると思っちゃって、親に「ごめんなさい」と言うことがあるんですよね。「お母さんごめんなさい、お父さんごめんなさい」と思っているんです。

そういうときに、「ごめんなさいなんて、思わなくていいよ」と言っても、ダメなんですよね。その代わりに、**「あなたはひとりじゃないんだよ」とか、「あなたを大事に思っている人がここにいるよ」とか、「あなたが病気だろうが具合が悪かろうが、あなたのことを大切に思っている人間がいるよ」ということを、行動や言葉で……ちゃんとその子に伝わる形で渡してあげるんです。**それが大人の役割じゃないかなと思います。

子どもに伝えるとしたら「健康第一」ではなく、「存在第一」だと僕は思っています。でも、そのためには、伝える人間もだれかから「あなたが大切」と言われていないといけません。与え続けるだけというのは、なかなか難しいですから。

だから、みんながそれぞれ自分の弱さを出して、逆に自分のできること、ちょっと強いところがあるなら、それを分け合って……、そうやって生きていける世の中を、つくっていければいいな……というより、つくらなきゃダメでしょ、と思っています。

杉山　「チャットにも『弱くてもいいのですね』と書き込みがありますけど、本当に弱くてもいいんですよね？」

はい。だって、そこに存在していること――「Being（あり方）」が大事ですから。もちろん「Doing（やり方）」も大事なんですけど、「Doing」の前に「Being」をしっかりともてることが必要だと思っています。

第六夜
ワークとライフをどうする？

話し手

三谷宏治さん
KIT虎ノ門大学院 教授、著述家

〈5月30日〉

――ある視聴者の独白

いつの間にか5月が終わろうとしているけど、私の「自己分析」は一向に進まない。そろそろインターンの申し込みをしないといけない時期だとは思うけど、今年、インターンを受け入れてくれる企業なんてあるのか。1つ上の先輩の中には、内定が取り消された人もいるらしい。本当に同情する。それに比べたら今の状態のほうがましなのかもしれない。困難な状況にあるのは私だけじゃない。みんな同じ。

2つ上の彼氏は、春に無事就職を果たした。なんて羨ましい。買い手市場って何？　今となっては幻だと思う。ただ、彼が楽をしてきたわけじゃないことはわかっている。彼は自分自身のことをよく知っている。そして、私のことも。分析好きなのかよくわからないけど、とにかくいろいろと目を配らせていて、繊細だ。すぐ泣くし。ちょっと繊細すぎる気もするけど、保育士という彼の仕事にとっては、たぶんちょうどいい。

東京生まれ、東京育ちで中学から私立。他人から見ればいい環境で育ったみたいだし、自分でも悪いことはなかったと思う。ただ、よかったかと聞かれると、そうでもない気がする。そんな感じだから、自己分析が進まないんだろうな。大丈夫なのか？　私。

きっとママに相談しても解決することはない。フワフワした天然系で、私とは明らかにタイプが違う。そういう意味では、私は完全にパパ似。自分でつくったルールに則って生活して、自分に厳しい。彼氏から見てもそうらしい。確かに自分で「こう」と決めたことは曲げない、というか、曲げられないところがある。

でも、急に世の中が変わって、よくわからなくなって、決められないのだ。

ちょっとだけパパに相談したいけど、この状況でもちゃんと会社に行って仕事をしているから、なかなかできない。どんな状況でも会社に行かないと気が済まない人だから。ただ、会社に行く気持ちはちょっとわかる気がする。大学の授業は全部オンラインになったけど、私はやっぱり大学に行きたいと思うから。

なんだろう。明らかに不自由だと思っていることはないのに。私は何がしたいんだろう。パパがダメなら彼に。いや、人に聞いている時点でなんか違う。自己分析じゃなくなってる。みんなどうやって自己分析なんてしてるんだろう。ネットで調べて出てくるのは、だいたい想像がつく範囲しかない。当たり前だけど、やたら意識が高いか、明らかにダメな失敗談のどちらか。たぶん、私はどっちにも入っていないから、なんか違うと感じてしまうんだと思う。

パソコンの向こうには、世界が広がっているはずなのに、モニターが小さすぎるせいか、どんどん道が狭くなっていく気がしている。少しでもその不安を解消するため、手当たりしだいにおもしろそうなオンラインイベントに参加している。でも、だいたいは同じようなものに興味をもつ人ばかりが集まるから、新しいものにはなかなか出会えない。

でも今夜はちょっと違う。ほとんど興味がないイベントに参加するからだ。正直なところ、内容もよくわからずに、まったく知らない人が話すトークイベントに参加するのは初めて。ちょっと怖いから、パパに聞いたとウソをついて彼も巻き込んでみた。忙しいのにごめん。

どうやら普段やらないことをやったほうが、自分のことがわかるらしい。ツイッターでだれかが言っていた。心の中では、そんな簡単に変われるか？　とは思っているけど、失敗しない程度の冒険はやってみるようにしている。

そう、私はそんなに簡単に変われない。

頑固なパパのせいだ、とも思うけど、それだけじゃない。何かに行き詰まったとき、だれかに聞くと、あれやってみたらいいとか、こうしてみたらいいとか、変われ変われと言われる。言われれば言われるほど、変わってたまるか、と意地になる。まだ若いとは思うけど、20年やってきたことを、だれかに言われて簡単に変えることなんてできない。自分から何かしない限りは無理だ。

私に変わらないでいい、と言う人は2人いる。パパと彼。たぶん2人の唯一の共通点で、たぶん彼と一緒にいられる理由でもある。でも、変わらないでいいと言われると、ちょっと変わりたくなる。そうか、私ってすごいあまのじゃくなんだ。というよりは、素直じゃないだけかも。あ、少し自己分析が進んだかもしれない。

ちょっとおなかすいてきたかも。でも、イベントがもうすぐ始まる。少し遅れるかもしれないけど先に食べるか？　全部終わった後で食べるか？　全然どっちでもいいことなのに、こんなことも決められないのか、私は。なんか自分にイライラしてきた。そう、今日はイベントに参加するって決めたんだ。だったら、ブレずに参加することを選ぼう。

改めて、自分が決めたことに縛られるタイプであることを再確認して、今夜の自己分析は2歩進んでよしとしよう。私はなんだかよくわからない決意をもって、とにかくよくわからないイベントにアクセスすることにした。

たまにはそういう日があってもいいでしょ。

「決める力」が身につかないワケ

「第六夜のゲストは三谷宏治さんです。元は経営コンサルタントというバリバリのビジネス分野にいらっしゃった三谷さんが、どういうきっかけで教育分野で活動することになったのでしょうか?」

杉山　私が社会人向けの教育機関で教えるようになったのは、１９９６年だから32歳ごろですね。経営コンサルタントを卒業してビジネススクールの教授になったのが２００７年で、43歳。最近では、元経営コンサルタントのビジネススクール教授も増えましたね。ただ私は、社会人向けにビジネスを教えるだけではなく、上は経営者から下は小学校１年生まで、もしくは親や教員にも直接的に授業をやったり、講演をやったりしているので、それが普通ではないところでしょうね。テーマは「発想力」や「決める力」で、みんな一緒です(笑)。

さかのぼれば、子どものころから人に何かを教えるのが好きでした。自分が本で読んだことを母親に教えるとか、クラスの友だちに「わからないところを教えて」と聞かれて教えるとかを毎日やっていました。

こういう性格は大人になっても変わらなくて、コンサルタントになったときも、私がずっと力を入れていたのは、社内の教育体制をつくるといった、人に何かを教えることでした。アクセンチュア時代に戦略グループで立ち上げた新入社員研修は、社内の若手にトレーナーを任せるところまでやったのに、「三谷さんがいちばん上手だから」と彼らに言われて、ふたたび私がやるようになりました（笑）。実際、私自身も、シニア層に応用的なことを教えるよりも、何もベースがない人たちにベースを与える、基礎を教える、ということにおもしろさを感じていました。マーケティングやコンサルティングの基礎を、まだ何も知らない新人たちに伝えるのが、いちばんチャレンジングで楽しかったんです。

杉山　「ということは、教える対象が同級生からシニアの経営層になり、そこからどんどん下がっていって、最終的に小学1年生まで下りてきたということですか!?」

そうそう（笑）。さすがに、小学生に授業をやりませんかという話がきたときは、ちょっとだけ躊躇《ちゅうちょ》しましたよ。でも、「5、6年生ならいけるかな」と思ってやってみ

たらうまくいき、次は3、4年生を、じゃあ1、2年生もお願いします、なんていうことになっちゃったんですよね。これがまた、結果的に私の「教える力」を格段に引き上げてくれました。小学1年生に楽しい授業ができたら、もう怖いものはありません（笑）。

熊野　「三谷さんは、子どもだけではなく、子育てをする親に向けた講演もされていますが、そこではどういうことを伝えているのですか？」

長年、経営コンサルタントとして企業や社会を見てきて、社会人として生きていくうえでは、単なる知識や経験よりもジェネラルな力がとても大切だ、と思うようになりました。そのなかでも、とくに自分が得意だったものを教えようと決めた、という単純なことなんです。

それが「決める力」と「発想力」の2つでした。この2つの力の根源は、「自分」です。自分で決めることで成功すれば自信になり、失敗したら反省につながります。親や教員が決めたことで成功・失敗しても、自信にも反省にもなりません。

でも、相談しにくる子どもがかわいいから、親はかならず「アドバイス」という名前の答えを与えます。でもそれは「お父さん、お母さんは、あなたがこうすれば反対しないよ」という事実上の答えです。

学校の教員も、私が授業をしていたら、うまく行かなさそうな子どもにスッと近づいて、小声で「あそこを見てみなさい」なんて言って、限りなく答えに近いヒントをすぐ与えたがります。まずは自分でやって失敗しないと、本当の学びにはならないのに。「自分で決めよう」「失敗しながら発想しよう」と訴える私にとって、それを阻む岩盤抵抗勢力は、親と教員なんです（笑）。

そういうことがわかったので、親や教員向けには、さらに「生きる力」と題して、子どもに「決める力」や「発想力」をつけさせるためにはどうすればいいか、という講演や研修を始めました。

杉山　「大人になっても決められない人たちだらけです。一体どうして、みんなこんなに決めることが苦手なのでしょうか？」

だって、そもそも決める必要がありません。動機がないところに行動は生まれませんよね。さっき言ったように相談すればなんでも親や教員、塾が決めてくれます。下手すると子どもが相談する前に「これがいいんじゃない？」と何でも口を出したりします。日本の多くの子どもたちは、親から「月額制のお小遣い」をもらっています。なぜでしょう？　なぜ、毎月一定額のお金を子どもたちに渡すのでしょうか？

それは意思決定の練習のためのハズです。何かを買うと決めれば、他のものは買えなくなります。高価なものが買いたければ、何か月か他のことを諦めて、貯めなくてはなりません。でも、そんな訓練機会を、一撃で砕くのがジジババたちです。ちょっと遊びにいくだけで1万円も渡したりします。月収（月額制のお小遣い）の10倍が1日で手に入るのです。

決める「動機」をつくり出しても、次に「感情」の壁が立ち塞がります。……やっぱり決めるのって怖いことなんですよね。人と違うことがバレちゃうから。「人と同じがいい」んです。だって親も教員も、子どもが人と同じことをやっているときには何も言わないのに、違うことをやった瞬間に「なぜ？」「どうしたの？」と尋ねます。子どもはすぐ学びます。「ああ、人と同じことをしてればいいんだ」と。

杉山　「出る杭は打たれる、という訳ですね」

杭どころか、まるでモグラ叩きゲームです（笑）。そうやって、子どもたちは自分で何かを決めるのがどんどん怖くなっていきます。

最後の壁が「技」の壁です。決める力とは気合いと根性だけでなく、「技」なのです。繰り返し練習すれば身につく、決めるための方法があるのです。

でも、日本の教育において、「決める」ということを教える単元はありません。決め方を教える授業はないんです。

本当は、小学校には「決める技」を教えるのにいい機会がいっぱいあります。遠足の班分けとか、クラスの席替えとか……そういった場面で子どもたちに意思決定を任せている教員もけっこういるようです。けれど、教員たちも決め方の教育を受けてきていないので、実際にやらせてみて決まらなかったときには、子どもたちから案件を取り上げて終わりです。決め方まで教えることはないんです。

では、決める力を鍛えるために、どうすればいいのでしょう？

まずは「動機」。「決める必要がない」なら、決めなくてはいけないようにすればいいんです。つまり、親が決めないとか、お小遣いを絞るとか（笑）。

次が「感情」。「決めるのが怖い」のならば、決めることを楽しくしてあげればいい。何かを決めるということをイベントにしてもいいと思いますし、そもそも「人と違うことが怖い」のだったら、人と違うことをしただけで褒めてあげる、という手もあります。

わが家では「予算10万円の5人家族1泊旅行」の企画を、当時小5の次女にすべて任せたことがあります。「予算3０００円でお母さんの誕生会を企画せよ」でも構いません。

でも、かならず子どもたちの決定には従うこと。歌えと言われたら歌いましょう（笑）。

最後が「技」。決める技の修得のためには、とにかく練習です。あらゆる機会を捉えて繰り返しましょう。学校選び、塾選び、週末の過ごし方、機会はいくらでもあります。ただし、ここで重要なのは「任せる」ことと、「プロセスは問う」ことです。自分で「決める」練習なのですから、任せることは大前提です。決めたことは受け容れましょう。でも「決めるという技」を練習させたいわけですから、そのプロセスは問い続けなければなりません。目的は何か、選択肢は挙げたのか、それらが目的に合うかちゃんと調べたのか、どう考えてそれを1つに絞ったのか、を問うのです。ああ、なんて面倒な親でしょう(笑)。

でも、そのうえで子どもが決めたことは受け容れます。たとえそれが「間違っている」「失敗するだろう」と思っても、です。その覚悟がなければ、子どもも真剣に考えようとも調べようともしないでしょう。

子どもの「決める力」は家で育む

杉山　「これを聞くと親はドキッとしますよね。さっき三谷さんは親と教員が抵抗勢力とおっしゃいましたが、そういう親や教員たちに『こう変わってほしい』というものはありますか？」

実は、教員に対してはあまりありません。学校に求めるのは基礎学力と友だちだけと思っていますから、もっと楽しく身になる授業をやってほしい、くらいです。「決める力」は、基本的に家で育むべき力です。

わが家には「家族サービス」という言葉は存在しません。親が子どもにサービスすることなんてないんです。週末になっても、私は言われない限り子どもたちをどこかに連れていくことは、基本的にしません。3人の娘たちは、私にどこかへ連れていってほしいなら、きちんと企画を立てて、どこに連れていってほしいのかを決めて、私に頼まないといけないんです。

娘たちはそれがあまりにも面倒くさいから、自分で友だちにアポをとって、遊びに行っていました。長女は保育園のときから自分で友だちの家に電話をかけて、「今から遊びに行ってもいいですか？」なんて聞いていましたよ（笑）。それも意思決定と行動ですよね。

でも、毎週末友だちの家に遊びに行くわけにもいかないから、やっぱり企画を立てる必要が出てきます。だから、小学生のころの娘たちは、週末が近づくと「どうしよう？」

「このまま何も決めなかったら、暇すぎて死ぬ」と言いながら（笑）、必死に考えていましたよ。

杉山　「緊急事態宣言で休校になって『暇すぎて死ぬ』なんて言っていた子たちは、親に『どうにかしてよ！』と言っちゃってましたねぇ」

それは、親が子どもに「決める力」をつけさせるという意識がないからです。そこは、自分で決めさせないとダメ。

そういう、自分で意思決定をして行動する練習は、生活のなかでいくらでもできるわけですから、教員ではなくて、親がやればいいのです。いや、親にしかできません。

たとえば子どもの学習塾。どう決めましょうか？　まずは「動機」からですので、塾の場合、本人が行きたくないのなら行かせることはありません。

では本人が「行きたい」と言ってきたら？　まずは目的を問います。もしその答えが「○○ちゃんが行っているから」だったら即却下（笑）。どの科目の何が問題と思っているのかをしっかり問いましょう。そのうえで、その目的に合った選択肢を挙げ、調べて1つに絞るのです。予算に制限があるのなら、「月○万円以内！」と初めに提示しておけばいいのです。

杉山　「『決める力』が大切と教わると、親はいきなり子どもに『さあ決めろ』と無茶ぶりしちゃいそうですが、ただ任せるんじゃないんですね。目的、選択肢、評価、選択といったプロセスを踏ませることこそが重要だということですね」

そして、その意思決定を受け容れる覚悟も（笑）。

杉山　「今、チャットで『親が取り組もうとしても、学校に染まっている子どもが面倒くさがります』という意見がありました。子どもから『でも先生はこう言ってたよ』と言われるのは、よくあるパターンだと思いますが、そういうときは、どう対処すればいいんですか？」

わが家の場合は、三谷家のルールというものがあるので、それに従ってもらうだけです。「そんなルールに従うのは面倒でしょ。嫌だったら、早く独立しようよ」ということです（笑）。私は、子どもにとって、家がそんなに居心地のいい場所である必要はないと思っています。とても安心できて、楽しいところではあるでしょうが。私は、娘たちの決めたことは尊重するけれども、そのプロセスについては妥協しませんから、ちゃん

と調べていなかったり、ちゃんと考えていなかったりしたら、すべて門前払いにします。もちろん、彼女らからの話は全部聞くし、どんな言い訳でも聞きますけれど。

杉山　「えっ！　言い訳も聞くんですか!?」

もちろんです。言い訳とわかっていても……というより本人だって、これは言い訳だってわかって話しているんですよ。それでもちゃんと聞きます。そして話し終わったら、質問します。その質問にきちんと答えられないんだったら、「もう一回考えてきて」「調べてきて」と言うだけです。

「聞く」ということには、娘たちと接するうえで、すごく気をつけてきたつもりです。娘たちも「どうせお父さんのほうが強い」というのはわかっています。それでも、「最後まで話を聞いてくれるから安心できる」という感じになるように気をつけました。

たとえば、あるとき、長女が『ハリー・ポッター』を読み始めたんです。8歳くらいですかね。私も本を読むのはすごく好きですが、娘が読み始めたことを知って『ハリー・ポッター』は読まない、と決めました。同じものを読んだら、私のほうが内容をよく知っていることが当たり前になってしまいます。でも、長女が楽しく読み始めたんだったら、私は読まないよと宣言しました。

そうしたうえで、長女が読み終わったら「教えて」と聞きます。そうすると長女は、読んでいない人（＝私）に対して、意気揚々としゃべれますよね。でも、長女もしゃべりながらわかっていたみたいです。自分がいかに、要約が下手かを（笑）。

要約できないから全部しゃべっちゃう、みたいな感じになるんです。私は心の中では「お〜、これは長いな……」と思うんですが、それでも話をさえぎることは絶対しません。だから、娘はとりあえず最後まで話し切れるんです。

熊野　「話をずーっと聞いてあげていると、『ああ、私の話、長いな』とか、『辻褄《つじつま》が合わなくなってきちゃったな』といったことに自分で気づくんでしょうね」

はい。それでも次も話そうと思えるのは、私が話をさえぎらずに聞くからなんです。

三谷家の独特な叱り方とは

熊野　「三谷さんの娘さんの、テレビを見る時間のルールの話を聞いたとき、『ああ、

発想力がついてるなぁ』と感じたのですが、その話を紹介していただけますか?」

三女の話ですね。子どもたちには「テレビは週210分（1日平均だと30分）まで」としていたのですが、三女は小学1年生のころから「嵐」好きで、ドラマ好きだったんです。そのころ、1週間のうちに嵐の冠番組が2本あって、そうすると、他に見たいドラマがあっても時間オーバーになります。

そこで三女は小学2、3年のころ、ある技を編み出しました。番組改編の新しいクールが始まると、いろいろと調べながら、第1回目のドラマを5本くらい録画します。それを1・3倍速でCMスキップしながら見ると、1本27分くらいで見られるらしいんです（笑）。それで、第1回目をチェックして、見続けるドラマを2本に絞るんです。その2本にしても、リアルタイムで見るのではなく、録画してCMをスキップしながら見ることで、わが家のルールを守りながらテレビを楽しんでいましたね。

杉山 「テレビを見るということから、いろいろなことを学んでいる……テレビがいけない、というわけではないんですね」

そうです。ある意味、何を見てもいいですし、好きにしていいんですけど、時間の制限はあるわけです。

お小遣いも一緒です。額は少なめだけど、何を買うのも自由です。いちいち口出ししません。

杉山　「制限といえば、今回のコロナ禍では、『これしちゃいけない、あれしちゃいけない』といった感じで、今までとは違った制限がかかっています。子どもたちにしてみれば、どう対処していいのか思いつかないような事態だと思うのですが、三谷さんは娘さんたちがまだ小さかったとしたら、どんなふうに接しましたか？」

そもそも、子どものころって、そういうことばかりですよね。何か新しい環境へと変化したら、制限も増えます。

たとえば幼稚園から小学校に上がるときでも、小学校から中学校に進学するときでも、本人にとっては経験したことのない変化が起こります。ですから、そういう場合と同じ、普通の対処で構わないのではないかと思っています。

この、新しい状況や新しい制約というのは、今日の私の話の本筋、メインメッセージにつながる部分です。「新しい状況が生まれました。あなたはどうしますか？」「お父さ

んが新しいルールを決めて新しい制約ができました。それにどう対抗しますか?」といったことです。

ルールのなかであれば工夫をしてもいい。先ほどの私の三女の話みたいに、ルールのなかで工夫をして切り抜ければいいんです。

一方、長女のほうは、その制約を拡大すべく、私と交渉しにきました。たとえば、中学生になったときにお小遣いが月１０００円に上がったのですが、「今どきの中学生が月に１０００円では、さすがにやっていけない」ということを私に訴えるために、３か月分くらいの使途明細リストを領収書付きでつくって、私のところに「１０００円では無理です！」と交渉しにきたんです（笑）。

私は、「月１０００円」という絶対値にこだわっていた訳ではありません。だから、月１０００円の柵が狭いと思うのならば、柵を拡《ひろ》げればいい。そのためには、証拠をもって交渉に挑めばいいんです。

杉山　「それはもう、ビジネスプレゼンテーションの域ですね（笑）」

はい。これは長女が言っていたんですけど……中学生のころ、友だちと「お父さんってどんな人?」という話になったとき、他の子たちの話と比べると、「ウチのお父さんの叱り方は独特だ」と気づいたらしいんです。それは、「NO」や「ダメだ」では終わらなくて、かならず「改善提案をしなさい」という方向性にいく、という点だったんですね。

たとえば、姉妹でのケンカで「ぶったり蹴ったりはダメ」というルールがありました。女の子なので殴りはしないのですが、足を出すんですよね。蹴るんです。

杉山　「すごくよくわかります（笑）」

でも、絶対にやっちゃいけない、といくらなっていても、子どもだからついやっちゃうわけです。そうしたら、「今、蹴っちゃったね」「それは絶対ダメ！」と叱るのですが、そこで終わらずに、「次、同じことをやらないようにするには、どうすればいい？」と問うんです。

そうすると「もうやらないって誓います」と娘が言い、「それは前回も聞きました」と私が返す、というやり取りになります（笑）。そして、「前回の対策でダメだったんだから、別の対策を考えて」という話になるわけです。

長女は必死に考えて、今度は「ポスターをつくります」と言ってきました。学校にもあるような「ケンカをしません」とか「蹴りません」とかいう標語をポスターにして、壁に貼ったんです。ケンカ相手の次女と一緒に。

こういうのを含めて、そこでの改善提案はなんでも構わないんです。**子どもが自分たちで考えて決めたことなら、それは方策として認めます。でも、それでダメだったら？次の方策を考えなさい、と言うだけです。**それの永遠の繰り返しなんです。それでいいんです。

そうしていたら、長女は「叱られるのって、マイナスだけじゃない。どうやったらよくなっていくかを考えられる、プラスの面もあるんだ！」と思えるようになって、世界が変わって見えたそうです。「失敗することは、ネガティブなことだけじゃないって感じられた」と言っていましたね。

熊野「今は失敗を恐れる子どもがとても多いですよね。それを俯瞰で見ると、失敗を恐れるお父さんやお母さんがいて、職場で日々『失敗しないように』と仕事している、という構図があります」

それでいながら子どもに「失敗を恐れるな」と言っても、すぐに矛盾に気づかれてしまいますよね。

企業の学卒採用の場面でも似たような構図があります。人材に求めるのは「創造性」「発想力」とか言っておきながら、面接で派手なシャツを着ていったら、それだけでハネられちゃいますよね（笑）。「人と同じ服を着ていない奴は、常識外れでダメだ」なんていう採用で、発想力も何もねぇだろ！　って私は思いますけどね。

杉山　「たとえば家で、パートナーと子どもに対する意見が違ったら、どうしたらいいでしょうか？」

パートナーとの間で、子育てに関する意見が合わないことは多々あるでしょう。それは時間をかけて話し合っていくしかありません。問題は、その意見のズレを子どもに見せちゃうかどうか、だと思います。

三谷家では絶対に見せませんでした。ああ意見がズレているなと思っても、子どもの前で相手を否定することはしません。それは、相手の権威を傷つけるだけだから。子どももよくわかっていて、そういうお父さんとお母さんの間のズレを敏感に察知します。どちらかが子どもにガミガミと叱っているところに、もう一方が「まあまあ」なんて言ってかばうのも、よくないですよね。とくに男親は、娘の気を引きたいので、そういう傾向があります（笑）。

「子どもに対して親は一枚岩でいよう」というスタンスが大切です。

熊野　「今、チャットで、『私、普段から子どもの前でお父さんのことケチョンケチョンに言ってる』といった意見がいっぱい来ていますね（笑）。でも、大切なのはこれからどうするか、ですよね」

はい。いつからでも変えられます。

小さなことから練習すればいい。ただし覚悟と楽しさをもって

杉山　「変えられるという点で言えば、大人たち自身はこれからどう変わるべきなのか、という大きな問いがありますよね。大震災、温暖化や風水害、ＡＩ（人工知能）、パンデミック（世界規模での感染症）と、激変する世の中にあって、変わると言ってもどっちへ動くべきなのか、どんな一歩を踏み出すべきなのか。そのあたり、どのようにお考えですか？」

おそらく、世の中の98％くらいの人は「選ぶ」ということをするんでしょうね。

杉山　「選ぶ？」

はい。残りの1～2％の人はすでに走り出しています。新たな制限のなかで工夫をしてがんばっていこうとしている人たちもいれば、そんな制限は無視して、別の新たな方向を開拓していこうというアントレプレナー（新しく事業を起こす人）みたいな人たちもいるでしょう。何かをすでに始めているわけです。

他の大部分の人は、自ら道を拓《ひら》くというよりは、先行した人たちを見て、そのどれを選ぼうか、となるわけです。おそらく、先行した人たちはいろいろと発信をするでしょうし、第三者によるいろいろな情報が流れてくるでしょうから、それらをキャッチして、「今の自分の立場やスキル、性格などを考えると、このやり方がいいな」と選ぶ。あとはそれを実行できるか、という話ですね。

杉山　「実行するために大切なことは何ですか？」

「実行に移すのは簡単ですよ」とか「ちょっとここを変えればいいんですよ」といったアドバイスもあるでしょうが、いちばんダイジなのは、結局は「覚悟」だと思いますね。

自分がどう変わるかとか、状況が変わったときにどう対応していくかといったことも、「決める力」や「発想力」「生きる力」次第。それらをなぜ発揮できないのかといったら、覚悟がないからなんだろうなと思います。やっぱり人と違うことをするのは怖いですから。でも、「人と同じがいい」という考えのなかでは、決めることも発想することもできません。

私はよく、「決める」というのは10人中3人になる覚悟だ、と言っています。「そうだよねー」と相づちを打っていれば、かならず多数派に入れます。でも、何かを決めて「私はAだ」と言うと、「え？　あなたはBじゃないんだ」と言われて、人と違うことがバレてしまいます。もしくは、多数決で「私はAだ」と主張したら、少数派に転落してしまうかもしれません。

でも、実は日本人がいちばん嫌うのは、積極的多数派になることです。「私はAだ」と言ったら「そうだよねー」の人たちがくっついてきて、勝っちゃったとしましょう。そうすると、負けたB派の人たちから恨まれるのは、「私はAだ」と言った人、積極的多数派だけです。

杉山　「言い出しっぺですよね」

そういう「恨まれる対象になるかもしれない3人」になる覚悟が、「決める」ということには必要です。これは子どもだけではなく、親も同じです。「今までと同じように」とか「他の子たちと同じように」と思っていたら、子どもに「決める力」がつくわけがありません。親にも10人中の3人になる覚悟が必要なんです。

さらに「発想力」には、10人中1人になる覚悟が必要です。「発想力」って、だれも言わないことを言うこと、残りの9人とは違うことを考える力だから。さらにはそれが、覚悟という悲壮なものでなく、楽しくなれば最高です。**「だれも言えないことが言えて、うれしかった！」とならなければ、発想なんて生まれないでしょう。**

それなのに、子どもが他の子と違うことをした瞬間に「何で？」「どうしたの？」なんて親が聞いていたら、子どもに発想力がつく訳がありません。

ただ、そういった覚悟や楽しさも練習次第だと思っています。10人中1人になる練習。最初からできなくてもいいんです。やっているうちに、きっと慣れます。

昔、わが家の長女は、私と一緒に電車に乗るのが嫌だったそうです。なぜなら、かならず私に「席を譲りなさい」と言われるから。彼女はとても優しい子なので、本当はだれかに席を譲りたいんです。でも知らない大人に話しかけるのが怖いし、恥ずかしい。それなのに、私といると「席を譲ってきなさい」と言われる。だから嫌だったんです。

しかも、ドキドキしながら席を譲りにいくと、最近のジジババは元気だから断られるんですよね～（笑）。……せっかく勇気を出して言ったんだから、素直に「はい」と言ってくれよ、と思いますけれど。

でも、そうやって断られても、私は「ちゃんと言えたね、エラい！」と褒めていました。そうしていたら、成長した長女が「慣れというものは恐ろしい」「今や私は、電車に乗ったら、つねに席を譲るべき人をサーチしていて、絶対に座らせるスキルをもっている」なんて言っていました（笑）。

杉山　「今、練習という言葉が出てきましたが、三谷さんは、子どもたちや若い社会人たちに、『決める力』や『発想力』をつける練習をさせています。ところが、40代、50代になっても、そういう力が身についていない人が多いですよねぇ。三谷さんの話を聞いて『やらなきゃ』と思っても、なかなか動き出せないんですが……それでも、やっぱり『今から練習』でしょうか？」

はい、もちろん（笑）。ただ練習と言っても、小さなものもいろいろありますよね。**「自分は決めるのが苦手だなぁ」という人も、周りにある小さなことから練習すればいいんです。**

友人との会食の場所を決める、週末の過ごし方を決める、次に買う靴を決める――何でもいいんです。そこで、決める技を使いましょう。目的を明確にする、選択肢を挙げる、それらについて調べる、評価して絞る。失敗しても、笑い話にすればいいだけです。プロセスのどこがダメだったか、ちょっと反省して次にチャレンジです。

ただ、そもそも「変わろう」という気さえない大人は、私の守備範囲外。今は「変わる気のある人」「変わる余地の大きい人」を対象にしています。……だから、子どもたち中心（笑）。

熊野　「三谷さんが、バリバリの経営コンサルタントから、子どもを教える方向に舵を切った理由は、そういうところにあったんですね（笑）」

そうです。今は子どもたちこそが私の真のターゲット。でも、その子どもたちの親たちは、まだ30代、40代だから「変わろう」という気があるし、今回の新型コロナウイルスの影響でそれが加速されています。

もうちょっと上の世代だったら、「変わらなくてもこのまま逃げ切れるかな」と思うかもしれませんが、30代、40代はそうはいかない。会社だっていつどうなるかわからない。会社に頼らず生きていく力をつけていかなきゃいけないのです。

熊野「第二夜のゲストだった田中靖浩先生が50代後半の同級生の話をされていました。もう逃げ切ることばかり考えていて、全速力で走り去ろうとしている、と。まるで『変わらない覚悟』を決めているみたいだと嘆いていました。不幸にもそういう上司をもったら、ホント大変ですよね。何を提案してものらりくらりで進みません」

それはもう、その上司をどうにかするか、自分が会社を移るかしかないですよね（笑）。以前、何かの講演会で、私の前の演者が松井証券の松井道夫社長（当時）だったんです。前社長の娘婿として入って、松井証券をネット証券の会社に生まれ変わらせた豪腕の持ち主です。その松井さんがすごいべらんめぇ口調で聴衆に「君たちには3つしか道はないんだ」と突きつけていました。「バカな船長とともに海に沈むか、反乱を起こして船長を追放するか、別の船に乗り移るか、その3つしかない！」と言い放っていて、さすがに、みんなシーンとしていましたね（笑）。

松井社長方式でいくならば……部長ひとりくらいなら、みんなでどうにかすれば、どこかにトバせるかもしれません（笑）。でも、会社全体がそうならば、自分が出ていくしかない。船を変えたほうがいいですよね。会社全体を変える、なんていうことまで、一般社員が考える必要はないのですから。

これは子育てにおいても同じで、学校全体や教育全体の変革ばかりを考えても仕方がありません。個人がちゃんと変えることができるのは、自分自身のキャリアと家庭の中のことくらいですから。

でも会社に大問題があるならば、自分が会社を変われるように、キャリアをつくっていかなきゃいけない。自分の子どもたちに対しても責任はとれないけど、覚悟をもって子育てをすればいいと思います。

杉山「そして10人中3人の、ちょっと出た杭になれ、ということですね。そして、できれば10人中1人の、だいぶ出た杭に！」

出れば、やっぱり叩かれたり、失敗したりします。でも大人になってからの失敗って痛いですよね。だから、小さいうちにどれくらい失敗させてあげられるか、も親の責任だと思います。

事前にいただいた質問のなかに「学校の休校中、小6の息子がゲームばかりしています。せっかく時間があるのに、やりたいことがゲームとYouTubeしかないのかと思うと、

家庭や学校で自ら学ぶ力が育っていないのだと反省しました」というものがありました。「休校中、子どもたちが家でゲームと動画とSNS漬け」という状況は、どの家庭でもあった話でしょう。でも、だから「子どもがダメ」ではなく、「自分たちが子どもの『自ら学ぶ力』を育てられていない」と気がつけたのがすばらしい。「子どもを変える」のではなく、「自分たちがどう変わるべきか」と考えられますから。

子育てのすべてに責任を負いなさい、と言っているわけではありません。そんなことを考えていたら大変です。ただ、「ここまではやろう」と決めたのなら、その範囲はやり抜く、ということです。面倒くさいシブチンの父親に徹する、とかね（笑）。

ガンダムではなく、赤いザクを目ざせ

杉山　「では、そろそろ三谷さんにまとめの言葉を見せてもらいましょう」

これです。

Originals
量産機になるな
(Net) Niche

まず、「Originals（オリジナルズ）」です。これは、最近読んだ『ORIGINALS』（アダム・グラント他著、楠木建訳、三笠書房）という本からとったものです。

この本はすごくおもしろい。世の中にはオリジナリティを発揮できる人間、新しいものをつくっていける人間がいるけど、彼・彼女らも、最初からそんなものを身につけていたわけではない。リンカーン大統領にしてもキング牧師にしてもそうでした。キング牧師が公民権運動[*1]のリーダーに推挙されたときも、奥さんと相談して断ろうと決めていたのに、ついつい断り切れずに引き受けちゃった、とか（笑）。ビジネスの成功者も、実は勇敢なファーストムーバー（先行者）ではなく、慎重なセカンドムーバー（2番手）や、様子見をしていたサードムーバー（3番手）だった、といったことが書かれているんです。「ちょっと臆病なほうが成功する」とか「急がないほうが創造性につながる」とか。こ

＊1　ここでは1950～60年代のアメリカにおける、アフリカ系アメリカ人への公民権の適用と、人種差別の解消に向けた大衆運動のことをさす。

ういうことに気をつければ、オリジナリティをもって物事を遂行できるようになる、みんなもできるからがんばろう、という本なんです。まったくもってその通り。

2つ目の「量産機になるな」は、専門学校HAL（ハル）のCMコピーです。そのCMでは、ガンダムみたいなかっこいいモビルスーツが、ザクみたいな量産型モビルスーツをぶった切っていって、「量産機になるな」というコピーが出てきます。

でも本当は、そのかっこいいモビルスーツはガンダムみたいな特別な存在ではなく、「量産機改良型試作機」なんです。ザクでいえば、「赤い彗星シャア」が乗る「赤いザク」みたいな感じです。ザクなんだけどちょっとだけ特別仕様、を目ざそうということです。

みながすごく特別なヤツになるのは大変です。それは、たまたま生まれるもので、育てられる訳ではありません。できるのは邪魔しないことだけ（笑）。

すごく特別というわけではない自分たちにできることは、ちょっとだけ違う人になる、ということだと思うんです。つまり、10人中の7人にはならずに、量産機とは仕様がちょっとだけ違う改良型試作機になる、という覚悟が必要だということです。

最後はカッコつきで「(Net) Niche（ネットニッチ）」です。Niche[*2]はニッチ戦略のニッチですね。人はグローバルレベルでナンバーワンになる必要はなくて、もっと狭い、何十人とか、せいぜい何千人くらいのなかで、いかに自分自身のニッチを築けるか、ということです。

この「niche」には「安全な窪地《くぼち》」という意味もあります。平らな草地にあって、鳥が巣をつくるのにちょうどいい大きさの、ちょっとした窪地ですね。これには語源があって、日本語で言うと壁龕《へきがん》です。教会の柱をちょっとだけくり抜いた、小さなマリア像とかが置いてある凹《くぼ》みのことです。固くて、しかも、そこに入っている像とあまり変わらない大きさの凹みなので、他の像は入れません。

そういう、他の人が入れないような安全で固い場所、というのが「niche」の定義で、そんな場所に入っている存在になりたいよね、というのがニッチ戦略なんです。教会の真ん中で大きく磔《はりつけ》になっていて全員を照らすキリスト像のような存在ではないけれど、自分だけのちょっとした凹み、敵が入りづらい場所にいる特別な存在になれれば、ちゃんと生きていけるんです。

ただ、これまでリアルの世界では、あまりに特別だとお客さんが少なすぎて、生きていけませんでした。それが、インターネットの普及によって、とてもやりやすくなりました。食っていけるニッチが爆発的に増えたんです。だから「(Net)Niche」と書きました。

＊2　市場の全体で戦うのではなく、一部（ニッチ）だけを対象として、そこで優位なポジションを築く戦略のこと。マイケル・ポーターの唱える集中戦略（focus）とほぼ同義。

もちろんニッチの場合は、自分はこういう存在なんだよ、ということに気づいてもらう必要があります。ネットの普及でその機会も増えたので、発信し続けなければいけないのですが、テーマをきめて地道に3年くらい毎日発信を続けていると、そのうち世の中の波がやってきたりします。その波に乗ろうとして急に発信する人がいても、3年前から発信し続けていた人のほうが、よほど検索に引っかかりやすい。

だから、流行を追うのではなく、自分で何かテーマを決めてオリジナルなネタのブログを書き続ける、といったことがいいんです。そして別の仕事をやりながら、世の中の波が来るのを待ちましょう。自分を鍛えて改良型試作機になり、オリジナルな創造性を最大限に発揮しながら。

結局3つとも、同じ話でしたね(笑)。

熊野　「第二夜の田中先生は、専門家になるのではなくて特別な存在、余人をもって代えがたい存在になれと言っていました。一方、三谷さんは『赤いザク』のような、量産機だけどちょっとだけ特別、というのもすごくいいとおっしゃいました」

杉山　「『ちょっとでいいんだよ』と言ってくれて、勇気が出ました。生まれながらにして別物である、みたいなことは自分の手ではどうしようもできないけど、ちょっとカスタマイズするくらいの変化なら、自分の意志と努力でなんとかできるんじゃないか、と思えました。そのために必要なのは、第四夜の藤田一照さんが言っていた『あなたはどうしたいの？』という部分ですよね。ハートボイスに問いかけて『自分はこうしたいんだ』というものに対して覚悟を決める、ということですね」

私自身は実は、熱をもって「これをやりたい！」というものは少ないんです。人に言われたり、頼まれたりしてやることがけっこう多いんです。

杉山　「でも、自分がやりたいかやりたくないか、ということは考えるんですよね？」

いえ、考えません（笑）。とりあえずは、何でもいちどはやってみます。自分のことは、自分より他人のほうがよく知っている場合が多いからです。

やってみれば、意外と楽しめるかもしれないし、「これは本当に向いていない」ということがわかるかもしれません。オンライン講義にしても、「本当はリアルでやったほうがいいんだけどなぁ」と感じながらも、感染症対策上必要なものだから、ゴチャゴチャ考えずにとりあえず1回やってみます。そして、やっていくなかでいろいろと工夫

していくと、ある部分ではリアルよりもいい面があるな、と気づいて、じゃあ次からは両方を組み合わせてみよう、というふうにもなっていきます。

杉山「三谷さんの『とりあえずやる』というのは、第一夜で前野隆司先生が言っていた『やってみよう因子』と同じですね」

「やる、やらない」で時間をとらないから、取り組むのが人より早いし、結果、新しいテーマの先駆者みたいになったりすることもあります。ホントは言われてやっただけなのに（笑）。

熊野「いきなり大きいことをやらなくても、周りにある小さいことで練習していけばいいんだよ、という部分も、僕らに勇気を与えてくれました」

これは熊野さんの専門であるアドラー心理学とも通じますかね。深く熟考するのもいいけれど、それで止まらないように、小さなことでいいから行動に移すこと。そうすればきっと変わります。まずは、人があなたを見る目が。そして、自分が自分を見る目が。「変われる自分」は、こんな時代を生きていく上で、きっと自信になりますよ。

最終夜

で、これからどうする？

対談

熊野英一 × 杉山錠士

〈5月31日〉

オンラインイベントというのは、本当に不思議なものだ。まさか自分と娘が同じイベントに参加していたとは。朝ごはんを食べながらした、久しぶりのなにげない会話で知ったこと。今までどおり会社に行っていたら、知りえなかったかもしれない事実である。またひとつ、オンラインの可能性を知ったかもしれない。これを何か業務に生かせないかと考え始め、俺はダイニングでパソコンを開いた。こんなことなら自分の書斎をつくっておけばよかった。マイペースな妻は一向にテレビを消そうとしてくれないが、それも仕方ないことだろう。ずっと家にいなかったのだから、ここはもはや妻の城なのだ。この環境で仕事に集中するには、どうしたらいいんだろう？　今度、アイツにコツを聞いてみよう。みんなが幸せになるために。

・・・

「社内SNSって知ってる？」

同期のママ社員から意外なメールが届いた。興味はあったけど、どうせうちでは導入できないと思って、ちゃんと調べていなかったものだ。それに、うちの会社はそこまで規模が大きくないから、必要ないと思っていた。でも、社員どうしがお互いの近況を知ることができる、貴重な機会かもしれない。とくにリモートワーク中心の今は、より必要性が高いだろう。

そして、今の社長なら理解してくれるはずだ。もう少ししっかり調べてから、提案書を書くことにした。できれば、そのママ社員にも見てもらって、意見も聞きたい。いや、きっとほかにも、こういうものの必要性を感じている人がいるはずだ。

社長のところに出す前に、まずは仲間を探すのだ。

・・・

子どもたちを連れて、久しぶりに電車に乗った。なんて空いているんだろう。通勤するときも、このくらいだったらよかったのに。夫のいる短期賃貸マンションが近づくなかで、自分が通勤ラッシュにもまれていたころを思い出していた。

どうあがいたって、あのころに戻ることなんてできない。だったら、ちょっと前に進んでみよう。正直に話せばいいだけなんだと思う。きっとそれが足りなかったんだろう。

それにしても、久しぶりに直接夫に発する第一声は、何が正解なんだろう。それもよけいなことか。ただ、ぶつかってみれば、言葉でちゃんと伝えれば、何か進むかもしれないのだ。

ＶＲとやらを買ってみたが、これはなかなかスゴイ代物だ。次の締め切りまで時間があるのをいいことに、ソファに沈み込んだまま、ゴーグルの中に見える星空を、ただただ眺めている。

息子がまだ小さかったころ、よく行ったプラネタリウム。今はお休みしているみたいだけど、最後に行ったときに、スタッフ募集の張り紙をしっかりチェックしておいた。あれ、まだ募集しているかな。

イラストの仕事を辞める気はないけど、自粛が明けたら、もうひとつの道に足を踏み入れてみようと思う。大好きな星にかかわるチャンスかもしれない。

心の声がそう言っている。

・・・

まるで、海外旅行に行くような大きなスーツケースを引きながら、僕はいつものように保育園に向かった。結局、今日読む本は決まらなかった。だから、入るだけ全部詰め込んでみた。

何が必要なのかを決めるのは、僕じゃない気がしたのだ。きっと、子どもたちが決めること。僕はただ、そのお手伝いをするだけ。

自分が小さかったころ、いろいろな人が、いろいろな絵本が僕を支えてくれた。だから僕は「ひとりじゃない」と思えた。それを子どもたちに伝えるためなら、重たいスーツケースも運べるのだ。

・・・

結局のところ、就活のための自己分析なんて、就活が終われば終わることだと思う。どうやったって、長くてあと1年ちょっと。でも、きっと人生はもっと長い。当たり前だけど。それだけ長ければ、きっと自分だって変わっていくはずだ。年だってとるだろうし、世の中も変わるだろうし。

どうせ変わるなら、自分から変えていきたい。

もう、意地を張ったり、疲れることはやめちゃおう。正直、まだ今の自己分析も全然終わってないけど、少しずつ変わりながら探していけばいいんだ。

自分のオリジナルは、そういうなかで見つかるらしいから。

熊野―ついに最終夜です。先駆者の方々から、心が震える言葉をいっぱいもらいました。それらを踏まえて、「これからどうする？」を考えていきたいと思います。

杉山―これまで6人の先駆者に「まとめの言葉」を書いてもらったように、まずは僕たち2人が7日間のまとめを書いていきます。まずは熊野さん、お願いします。

熊野―2つあるのですが、1つ目は、僕が生きるうえで大切にしているスタンスです。

Don't Worry, Be Happy !!!

僕は「幸せ」という言葉が大好きなんですが、「幸せになる」というよりも、「幸せである」という……今ここにある幸せを発見する、味わう、ということを大事にしているんです。これが「Be Happy」の部分ですね。でも、心配事が多くなると、今ある幸せが見えなくなってしまいます。だから「Don't Worry」がつきます。

そして、それができるために大事なのが、2つ目です。

仲間とつくる！

仲間と「場」をつくる、とかですね。今回、この「場」をつくったおかげで、たくさんの仲間ができました。だから、今日でおしまいではなくて、「今度は何をやる？」とか「いっしょにつくっていこうよ」という感じにしていきたいと思っています。

杉山―次は僕の番ですが……今回のイベントを経て、というと、これです。

聞く!!

第二夜で田中靖浩先生が言っていた「耳を澄ませ」が心に響いたのですが、これは変化の音を聞くということでした。一方、第四夜で藤田一照さんは「自分の心の声（ハートボイス）を聞く」と言ってました。いろいろな意味での「聞く」なんです。

さて、この後は視聴者のみなさんに、この7日間でみなさんがどう変わったか、これからどういうアクションをするのか――周りの人たちに伝えていきたい思い、これを大事にしていこうという思いを、チャットで一言ずつ書いていただきたいと思います。

早速、続々と入ってきていますね――。

ワクワクする、アクションする

がてきる。

無理だと思ってもやってみよう。
おもしろそうだと思ったこと。
それと、頼まれたこと

仲間を大切に、人との縁に感謝
（今回のご縁にも感謝！）

感じる、信頼する

寄り添う、そばにいてあげる。
家庭でも、会社でも

ちょっとしたオリジナリティを練習して、シェアする

十心（を寄せる） Give & take

迷ったときは、
ワクワクするほうへ！

自分＝他者と、1年前に腹落ちしました。
ので、自分を赦すことで、人も赦せる。
優しくなれる。自他を境目なく愛せる人になりたいです

聴く、耳を澄ます、注意を向けること

自分軸！

小さな変化をたくさんつくる

ここに来た自分を褒めたい

美点凝視を習慣にする

話せないので、伝える力をもつ！

今ある人、コト、物、気持ちに丁寧に！

め！

ワクワクするほうへ、
やりたいことはやってみる

いい匂いのするほうへ、動き続けよう！
（ずっと大事にしていることの、確認ができた1週間でした）

自分を信じれば仲間

ありのままでいこう

これからも嗅覚で生きていくぜ！

つながりを

コロナの騒ぎでよかったことの棚卸し
→変化のきっかけを逃さない

波は自分らしく呼び寄せる

聴く……耳＋目（を向けて）

ワクワクを感じる仲間に飛び込んで、つながろう！　広げよう！

子どもは成人したけど、
いつまでも心の隣にいる

自分のワクワクを信じる

世に開く
（自分だけでなく）

できていないことが
たくさんあることが、
わかりました

考える前に、感じる！

頭だけで考えず、
ハートボイスを聴く

ワクワクしようぜ！

幸せに生きると決める

怖くても、自分の気持ちがあるほうに飛び込む

子どもの課題は、子どもを信頼して、子どもに任せる
（学校に行くとか、行かないとかも）

うまく

恐れず絡

Just feel!

決める

自分をもっと大切に、信じる。ワクワクを止めないで、
とりあえずやってみる。きっとそこには仲間がいる

どうしたいかよりも、
どうありたいか

熱い想いをもって、
仲間にワクワク感を伝え続けたい！

決断し、行動する

「自分のペースで」ワクワクするのも、大事だと思います

死ぬ瞬間まで
「遊び心」を忘れずに！

動く

利他、情けは人の為ならず

したいです

利他の心＝稲盛塾長！！！
毎日、京セラフィロソフィーを実践して3年目！

ダチョウ上司は逃げ足が速いから、追いかけない。
それも自分の世界(自分は「意識している自分」よりもずっと広い)。
もっと、ありたい自分に意識を向け、行動する

不完全であることに、勇気はいらない

自分を赦す

動く

こだわらない

なんとかなるから、
ワクワクするほうを選ぶ！

ワクワクしながら、まずやってみる

ココロに正直に、自分で

短所で愛される人になりたいから、
短所を隠さずに出していく

覚悟をもって、自分で決める

積極的チャレンジ&ハプニング！
（心身ともに廃用性萎縮するよ、という一照さんのお言葉にハッとしました）

行動する

頭をまっさらにして、
相手の目で見、
相手の世界を感じる

1週間をとおして、日本という国、日本人であることを、より正しく理解できました。
そしてかならず明るい未来をつくれると。でも、このメンバーが2%になる覚悟をもつこと！

あったかいココロを信頼

ひとりじゃない。やりたいことをちょっとずつやる

いくつになっても学びは大切。
いっぱい吸収したら、
自分のワクワクすることを大切に、
勇気をもって動き出す

まずは

自分を信じる、楽しむ！

小さいこと、実験を

「一歩踏み出したら仲間が助けてくれる！」はホントにそのとおりですね。
仲間がいなくて折れそうで、3年たっても波が来なかったら、撤退もあり

まずは動く。やってみる。それから考える

自分の心の声をもっと聴く、
仲間に頼る、一人じゃない！

ワクワクの共鳴

自分のワクワクな心を大事にしつつ、仲間と場をつくる

自分に問いかける。決めて

熊野――これ自体が、お互いを勇気づけ合う、刺激を受けられる言葉ですよね。7日間も繰り返してきたから、頭の中にかなり定着してきていますよね。

杉山――この1週間、6人の先駆者の話を聞いて思ったのですが、耳が痛い話が半分で、「これでよかったんだ」というふうに背中を押してくれる話がもう半分、という感じでしたよね。「へぇ、なるほど」と思う話ももちろんありましたけど、耳が痛い話と背中を押してくれる話だったなぁと思いました。

熊野――そうですね。もし上から目線で「おまえらはダメだ」とか「こうすべきだろう」というふうに、ダメ出しや正論を言われていたら、だんだん勇気をくじかれていきますからね。きついことも言われましたが、かならず背中を押してくれたり、思いを受け止めてくれたりというのがありました。本当にすばらしい先駆者の方々でした。

○　○　○

杉山――さて最後に、大切なことに触れます。6人の先駆者が言っていたのは、元に戻りたがる人がいる、なかったことにしたがる人がたくさんいる――ということでしたよね。でも、なかったことにはなりません。今回の事態でも、みんないろいろと考えたわけです。これからは自分たちが、明日のことだけじゃなくて、もっと先も見据えたうえで、進んでいきたいですね。

熊野──そうですね。元の通りに会社に出社してこい、ということもあるでしょう。コロナが収束していない状況で学校が始まるとなると、不安になる子も多いと思いますので、よく共感するということ。あと、親が心配モードになると、子どもは敏感にそれを感じ取るから、親が心配したり不安になったりする部分は、自分で調節していってくれれば、と思います。

杉山──かっこつけないで、自分の不安を言葉で子どもに伝えることも大事ですよね。

熊野──でも大丈夫。仲間がいるから、家族がいるから……心配だけど、いっしょにやろうという人たちがいるから、大丈夫ですよね。ひとりじゃないから。

あとがき

2020年に世界を襲ったコロナ・パンデミック。「みんながやるから、やる」「みんながやらないから、やらない」という、多くの日本人が心地よさを感じる行動規範が、マスク着用や手洗いの徹底、罰則がなくても飲食店等が自粛するというかたちで現れ、それらが他国に比べてウイルス蔓延《まんえん》を防ぐことに寄与しているならば、それはそれで、日本人の強みと認識できるのかもしれません。感染症流行や大震災などの緊急事態においては、全員が一致団結した行動をとれることがプラスに機能するということです。

ただ、この特性は一方で、「同調圧力」や「思考停止」という表現で、日本の風土の欠点や日本人の弱点として捉えられることもあるようです。自立した大人として、自分で自分の行動を選択できない、幼稚と言ってもいいこの有り様を、プラスに捉えるのは難しい気もします。

「お上」の判断に異議を唱えると「空気を読め」と弾圧されるから、と黙っているうちに、その判断が間違いだと判明しても、あとの祭りです。あるいは、あまりにも変化が激しすぎて、「お上」が判断できずに機能不全に陥れば、国民全体がその場に立ちすくんで、座して死を待つような悲惨な状況になるかもしれません。

「変わる」ことがリスクなのか？　それとも、「変わらないこと」がリスクなのか？

２０２０年の私たちは、緊急事態宣言下で「ステイホーム」しながら、「働き方」や「家族のあり方」や「自分自身の生き方」という視点で、突如としてこの問いに向き合うことになりました。ただし、２０２０年になって初めて出てきた問いかと言われれば、けっしてそのようなことはないでしょう。わかっていたけれど、問題を先送りして、決断を留保していた、というのが実際ではないでしょうか。

「これからはＶＵＣＡ[＊1]の時代だ。変化が激しく、不確実で、複雑で、曖昧な世の中になる」と言われ始めたのは、１９９０年代後半くらいからですから、すでに20年以上もの間、世の中が激変を続けていることは、周知の事実だったのです。気温上昇などの環境問題、グローバル化の急激な進展とナショナリズム台頭による揺り戻し、中国の急成長と先進諸外国との政治的・経済的軋轢《あつれき》の激化、インターネットやＡＩ技術の発展――ＶＵＣＡの時代を根拠づける事象は、いくらでも出てきます。

「人生１００年時代」というキーワードも一般的になりました。そもそも世界に名だた

＊1　Volatility（変動性）、Uncertainty（不確実性）、Complexity（複雑性）、Ambiguity（曖昧性）の頭文字をとった言葉。

る長寿国の日本においては、この表現は大げさなものではないと、だれもが感じています。一方では、就職（と言うより「就社」という意識で組織に所属している方も多いはずです）先の安定性が担保されなくなった今、壮年以降も学び続け、働く場所や働き方を変え続け、家族内の役割分担や相互の関係性を柔軟に変え続けていく必要性が増していることも、コロナの有無にかかわらず、薄々ながら気づいていたはずです。

なかには、なんとか逃げ切ろうと、バブル崩壊までの輝かしい時代を脳内で反芻《はんすう》しながら、眼をつぶって時代の変化を「見ないふり」してきた人もいるようです。しかし、この作戦のみで健全に寿命を全うしようとするのは、おそらくかなり危険な賭けだと、2020年を境に、多くの人が気づき始めていることでしょう。

それよりも若い世代のなかには、変化に対して消極的な親や先生、上司のもとで、いつの間にか勇気をくじかれ「どうせ声をあげても無理」「どうせ行動しても無理」と、諦観した生き方にどっぷりと浸《つ》かってしまっている人もいるようです。

人間には、自分の目に見えないもの、認識できないものは「ないもの」とするバイアスがかかります。私たちが暮らす地球は、1日1回転、自転しながら、1年かけて太陽の周りを公転しています。その自転速度は赤道上で時速約1700キロ、公転速度は時速約10万キロです。想像できないほどのスピードで回っている地球の動きを、その上に暮らす私たちは意識できないのです。もしかしたら、今、私たちが経験している変化は、地球の回転速度と同じように速すぎて、気づくことが難しいのかもしれません。しかし、気づかないからといって「変化していない」と言い張るのは、あまりに稚拙です。

人間はまた、元来、安定を望むものです。なかでも日本人は、遺伝的にも心配性の傾向が強いという研究結果もあるくらいですから、なおさら「変化する」ことで失敗の可能性が高まるのを回避したくなり、「安定的で変化をしなくて済む状況」に固執したくなるのでしょう。そして、戦後75年をかけて、政治も、経済も、会社も、学校も、家族も、変化の必要性の有無にかかわらず、「変化しない」「変化するとしても、長い時間をかけて緩やかに」という選択をしてきたように思えます。

「茹《ゆ》でガエル」の逸話をご存じの方も多いでしょう。水を張った大きな釜で気持ちよさそうに泳ぐカエルがいます。その釜を下から少しずつ熱し続けると、水は徐々に、しかし確実に、その温度を上げていきます。しかし、カエルはその変化に気づかず、のほほんと、敵のいない釜の中での遊泳を楽しみます。やがて、その水が沸騰してお湯になっても、少しずつ変化した温度に鈍感になってしまったカエルは、もはや自身が茹で上がっていることにさえ気づかない、という残酷なたとえ話です。

この茹でガエルの逸話に照らし合わせるなら、2020年の初めまでの私たちは、まだ42℃くらいの心地よいお風呂に浸かっていると思っていたのかもしれません。しかし、新型コロナウイルスの出現によって、実際の温度はすでにもっと高くなっていたことが明らかになったように思えますが、みなさんはどう感じるでしょうか。

「変わる」ことがリスクなのか？　それとも、「変わらないこと」がリスクなのか？

急激な時代の変化と、正解の見えない明日を前に、立ちすくんでしまいそうになる私たち。『急に「変われ」と言われても』という本書のタイトルは、「変化するにせよ、失敗はしたくない」「どのように変化すればいいのか、正解を知ってから動きたい」という、読者諸氏の切実な声を反映したものです。

2020年5月の最終週、緊急事態宣言の完全解除後の最初の1週間、7夜連続で、6人の先駆者とのオンライントークイベントを挙行しました。これからの「働き方」「家族のあり方」「自分自身の生き方」を、どのように見つめ直し、変化していけばいいのか？　先駆者から学ぼうという試みでした。

この「あとがき」を読んでから本文を読む方もいらっしゃるでしょうから、ネタバレには注意したいと思いますが、思わず本文も読みたくなる程度には、私たちの気づきを共有しましょう。

「どのように変化すべきか？　そんなことはこっちに聞くなよ、自分で考えろ！」

結局は、主体的に考え、選択し、変化するにせよしないにせよ、その行動の責任を引き受ける、それしかないだろ！　ということです。

ただし、この結論に至るまでの多様な視点を、6人の先駆者は提示してくれました。本書には、それぞれの専門性と経験、生き様を反映した至極の言葉の数々がちりばめられています。そして、あのときの私たちが、6人の先駆者からのメッセージを貫く確固たる共通性を、回を重ねるごとに見出していった知的興奮――読者のみなさんは本書を読み進めながら、それを追体験していくことになるはずです。

あのイベントに参加した人はもちろん、この本で初めて先駆者の言葉に触れる方にとっても、この本を読み終わるときには、あなた自身の内なる声がささやき教えてくれる「ワクワクする何か」を、とにもかくにも始めたくなるに違いありません。仲間とともに、覚悟を決めて、小さな一歩を踏み出してください。

Don't Worry, Be Happy!!!

2020年11月

熊野英一

| 先駆者プロフィール

前野隆司（まえの たかし）｜第一夜
慶應義塾大学大学院システムデザイン・マネジメント研究科教授
1984年東京工業大学卒業、1986年同大学修士課程修了。キヤノン株式会社、カリフォルニア大学バークレー校客員研究員、ハーバード大学客員教授等を経て、2008年より現職。2017年より慶應義塾大学ウェルビーイングリサーチセンター長兼任。研究領域は、認知心理学・脳科学、イノベーション教育学、創造学、幸福学など多岐にわたる。

田中靖浩（たなか やすひろ）｜第二夜
田中公認会計士事務所所長
早稲田大学商学部卒業。外資系コンサルティング会社などを経て独立。経営コンサルティング、会計セミナーといった堅めの仕事（A-side）から、落語家・講談師との公演など柔らかい仕事（B-side）まで幅広く活動中。経営・会計の基本から最新動向を真面目にポップに、ときには笑いを交え変幻自在に解説する。

林田香織（はやしだ かおり）｜第三夜
ワンダライフLLP代表
日米の教育機関において、長年にわたり日本語教育に従事。8年の在米期間を経て、2008年帰国。2009年に独立し、子育て世代の支援に従事。自治体・企業において、両立支援セミナー、育休前・復帰前セミナー、配偶者向けセミナー、夫婦向けコミュニケーションセミナー等の講師を多数務める。3人の男児と夫の5人家族。

藤田一照（ふじた いっしょう）｜第四夜
曹洞宗僧侶
東京大学教育学部教育心理学科を経て、大学院で発達心理学を専攻。院生時代に坐禅に出会い、深く傾倒。28歳で博士課程を中退し禅道場に入山、29歳で得度。33歳で渡米。以来17年半にわたってマサチューセッツ州ヴァレー禅堂で坐禅を指導する。2005年に帰国し、現在も坐禅の研究・指導にあたっている。

副島賢和（そえじま まさかず）｜第五夜
昭和大学大学院保健医療学研究科准教授
25年間東京都の公立小学校教諭として勤務。東京学芸大学大学院にて心理学を学ぶ。2006年より品川区立清水台小学校教諭・昭和大学病院内学級担任。2014年より現職。学校心理士スーパーバイザー。ホスピタル・クラウン。テレビドラマ『赤鼻のセンセイ』（日本テレビ／2009年）のモチーフとなる。『プロフェッショナル 仕事の流儀』（NHK／2011年）出演。

三谷宏治（みたに こうじ）｜第六夜
KIT虎ノ門大学院 教授、著述家
東京大学理学部物理学科卒業後、BCG、アクセンチュアで19年半、経営コンサルタントとして活躍。1992年INSEAD MBA修了。2006年からは子ども・親・教員向けの教育活動に注力。現在は、大学教授、著述家、研修・講演者として全国を飛びまわり年間1万人以上と接している。著書多数。近著に『経営戦略全史』『戦略子育て』など。3人娘の父。

| 編著者プロフィール

熊野英一（くまの　えいいち）
株式会社子育て支援／ボン・ヴォヤージュ有栖川代表
1972年フランス・パリ生まれ。早稲田大学政治経済学部経済学科卒業。メルセデス・ベンツ日本に勤務後、米インディアナ大学に留学（MBA／経営学修士）。米製薬大手イーライリリー本社および日本法人を経て、保育サービスの株式会社コティに入社。2007年、株式会社子育て支援を創業。保育サービスを展開するかたわら、アドラー心理学をベースとした、人材育成に関する企業研修や、子育て、働き方、介護、夫婦関係など多様なテーマのセミナー・講演会・カウンセリングを行う。著書に『育自の教科書』（アルテ）、『アドラー式子育て　家族を笑顔にしたいパパのための本』（小学館クリエイティブ）、『アドラー式　老いた親とのつきあい方』（海竜社）など。日本アドラー心理学会／日本個人心理学会正会員。

杉山錠士（すぎやま　じょうじ）
兼業主夫放送作家（株式会社シェおすぎ所属）、子育て情報サイト「パパコミ」編集長、株式会社ジョージ代表取締役
1976年千葉県生まれ。日本大学芸術学部放送学科卒業。妻がフルタイムで働く共稼ぎ家庭で、2008年ごろからは自営業の強みをフル活用し、家事育児に軸足を置くようになる。FMラジオ局を中心に活動するとともに、自身の経験を生かして子育て関連メディアで執筆・編集を行う。パパ向け子育てアイテム「パパのツナギ」の企画販売や、子育てパパが集うバーの経営など、活動は多岐にわたる。2人の娘のパパとして、炊事・掃除など家事全般を担当。

装幀 | 三森健太（JUNGLE）
装画・挿画 | 白井 匠（白井図画室）

本文デザイン・DTP | Malpu Design（佐野佳子）
図版制作 | 竹内直美
編集 | 酒井 徹（小学館クリエイティブ）
ライティング | 田邊忠彦
校正 | 三上悠佳
協力 | 小野寺翼、視聴者のみなさん

急に「変われ」と言われても

「この先どうすれば？」が解決する、先駆者たちの言葉

2020年12月8日　初版第1刷発行

編著者　熊野英一・杉山錠士
発行者　宗形　康
発行所　株式会社小学館クリエイティブ
〒101-0051 東京都千代田区神田神保町2-14 SP神保町ビル
電話0120-70-3761（マーケティング部）

発売元　株式会社小学館
〒101-8001 東京都千代田区一ツ橋2-3-1
電話03-5281-3555（販売）

印刷・製本　中央精版印刷株式会社

ISBN 978-4-7780-3560-0